KB003665

순종과
해방 사이

이다희 지음

prologue **나는 오늘도 조금 더 용감해진다** 8

01 **며느리 미션 수행 대신 필요한 것** 19
『그녀 이름은』 조남주

02 **내 결혼만 망한 것 같을 때** 30
『수치심 권하는 사회』 브레네 브라운

03 **모든 모양의 몸을 위하여** 44
『헝거』 록산 게이

04 **보이지 않지만 소중한** 54
『글 쓰며 사는 삶』 나탈리 골드버그

05 **나에게 고통을 허락해 주세요** 64
『미쳐있고 괴상하며 오만하고 똑똑한 여자들』 하미나

06 **내향인이 어때서** 78
『명랑한 은둔자』 캐롤라인 냅

07 **다르게 살아보기** 88

『아직도 가야 할 길』 M. 스캇 펙

08 **화나면 화나는 거지** 100

『천 개의 공감』 김형경

09 **착한 여자 대신 속 편한 여자** 110

『남자들은 자꾸 나를 가르치려 든다』 리베카 솔닛

10 **인생을 정말 양도하려고요?** 124

『그리스인 조르바』 니코스 카잔차키스

11 **목주름을 보며** 134

『싯다르타』 헤르만 헤세

12 **허락된 세상 너머로** 142

『체공녀 강주룡』 박서련

13   **돈 벌지 않는 전업주부의 삶**   152

　　『아내 가뭄』 애너벨 크랩

14   **'더 많이'는 이제 그만**   162

　　『삶으로 다시 떠오르기』 에크하르트 톨레

15   **내 돈 주고 샀어도**   172

　　『출판하는 마음』 은유

16   **8년째 초보운전자의 대변신**   184

　　『시선으로부터,』 정세랑

17   **굿바이, 완벽주의**   194

　　『어린 완벽주의자들』 장형주

18   **사랑은 걱정보다 힘이 세다**   204

　　『자기 앞의 생』 에밀 아자르

19 쓸모없는 시간의 쓸모 214

『숲속의 자본주의자』 박혜윤

20 '돈돈'거리는 세상과 조화롭게 살아가기 226

『조개줍는 아이들』 로자문드 필처

21 그럴 거면 여기서 나가라니요 234

『사람, 장소, 환대』 김현경

22 이상함을 존중합니다 244

『내가 틀릴 수도 있습니다』 비욘 나티코 린데블라드

23 1등이 최고라는 거짓말 254

『물고기는 존재하지 않는다』 룰루 밀러

24 당신의 소명은 무엇인가요? 264

『연금술사』 파울로 코엘료

epilogue 다희, 사랑하는 내 딸 275

나는 오늘도 조금 더 용감해진다

2021년, 봄의 어느 날

서른다섯 살이었던 나는 세 살 아이처럼

엄마를 붙잡고 울었다.

마치 모든 게 엄마 탓이라는 듯이

내가 이 모양인 것은 엄마가 잘못 키웠기 때문이라는 듯이.

그때의 나는 위태로웠다.

숨을 쉴 수 없었다.

누군가 내 가슴 위로 절대 치울 수 없는

커다란 바위를 올려둔 것 같았다.

하루에도 수십 번씩 숨을 한꺼번에 몰아쉬었고

손으로 가슴 언저리를 쓸어내리기를 반복했다.

어쩌다 이 지경이 되었을까?

엄마 말을 거스른 적 없었고, 선생님 말씀에 순종하며,

세상의 요구에 착실히 응했다.

그곳에 도착하면 좋을 거라고,

그곳이 정답이라고

세상은 나에게 끊임없이 속살거렸다.

서른다섯 해 동안 고분고분하게 그 소리를 따라 걸어왔다.

착한 아이였고 모범생이었다.

스물넷에 교사, 스물아홉에 결혼, 서른에 출산.

세상이 정한 표준에서 단 한 번도 벗어난 적 없는 삶이었다.

세상의 질서에 순종하는 것은

매일 조금씩 나를 지워가는 일이었다.

규격에 맞는 인간이 되기 위해

나를 찌그러트리고 깎아냈다.

공들여 만든 무색무취의 껍데기만

그럴듯해 보이는 곳에 놓여있었다.

껍데기만 있는 삶은 매 순간 위태롭다.

내 생각은 무엇인지보다
주류 의견은 어떤지를 더 궁금해했고
내 감정은 어떤지보다
지금 이런 감정을 가져도 되는지를 더 알고 싶었다.

이런 삶은 내 것이 아니었다.
서른다섯 해 동안 아무 소리 않고 따라오던 내 몸은
더 이상 지속할 수 없다고 세차게 신호를 보내왔다.
견딜 수 없는 답답함이었다.
시간이 지날수록 차오르는 답답함에 숨이 막혔다.

숨을 쉬고 싶어 글을 쓰기 시작했다.
내 안에 가득 찬 답답함을 어딘가로 쏟아내야만 했다.

제멋대로 날뛰는 감정을 글로 적고, 적고, 또 적었다.
모난 감정이었다.

원망, 분노, 자책, 자기연민.

글은 편지가 되어 엄마를 향했고,

나는 편지 안에서 엄마를 끝없이 원망했다.

누군가를 탓하고 싶은 마음이

애꿎은 엄마를 찾아가 문을 두드린 것이었다.

편지 속에서 엄마는

쉬지 않고 주먹질을 해대는 나의 샌드백이 되었다.

부치지 않을 편지에서 내 마음은 경계를 모른 채 흘러넘쳤다.

편지와 함께 살던 나는

어느 출근길에 그만

편지의 말들을 엄마에게 쏟아내고 말았다.

엄마는 묵묵히 나의 이야기를 들었다.

버둥거리며 몸부림치는 딸의 목소리를 가만히 끌어안았다.

그때는 미안했다고

엄마도 모르는 게 많았다고

천천히 엄마의 이야기를 오래도록 들려주었다.

사실은 다 알고 있었다.

엄마 탓이 아니라는 것.

엄마는 엄마의 방식으로 가장 많이 나를 사랑해왔다는 것.

쨍한 햇살이 내리쬐는 보통의 출근길

아무런 설명도 없이 아무렇게나 쏟아낸 진흙투성이 마음을

동요 없이 따뜻하게 안아준 엄마.

착하지 않아도,

앞뒤가 하나도 맞지 않아도,

제멋대로 굴어도

나를 끌어안아 주는 사람이 있다는 것,

그것을 생생히 느낀다는 것.

그 하루의 경험은 강력했다.

캄캄한 동굴에 한 줄기 빛이 들어온 날이었다.

그날 밤 엄마에게 다시 편지를 썼다.
그 편지의 끝에는 이렇게 적혀있다.

엄마. 한 번도 빛이 들지 않아 천년의 어둠이 쌓인 동굴에 빛이 드는 건 한순간이라고 하더라. 천년의 어둠을 걷어내는 데 필요한 건 천년의 시간이 아니라는 게, 한순간이라는 게 얼마나 큰 위안이 되는지 몰라.

그날부터였다.
순종과 해방. 그 자장 안에서의 작은 움직임이 시작된 것은.

세상의 질서에 순종하지 않고
내 모습대로 살아가 보겠노라고 타박타박 길을 나섰다.

내게는 울퉁불퉁한 내 모습도 사랑해주는 엄마가 있고

해방을 향한 걸음을 함께 걸어가는 이들의

목소리가 담긴 책이 있다.

책의 조각을 붙잡고 나의 이야기를 다시 쓰려한다.

오래 기다렸을 진짜 나를 만나러 가는 길.

나는 오늘도 조금 더 용감해진다.

순종과 해방 사이

01 며느리 미션 수행 대신 필요한 것

『그녀 이름은』 조남주

엄마에게.

엄마, 나는 지금 광안리 바닷가 앞 카페에 앉아 있어. 여긴 언제 와도 좋네. 정말로 여름이 가을에게 한 자락 자리를 양보했는지 한낮에도 선선한 바람이 불어. 바닷바람 맞고 나니 없던 여유도 생겨나고, 무표정하던 얼굴도 조금은 풀어지는 것 같아. 왠지 오늘은 엄마에게 많은 얘기를 털어놓을 수 있을 것 같은 기분이야.

긴 추석 연휴가 끝나고 다시 일상의 자리로 돌아와서 엄마에게 편지를 쓰고 있어. 복작복작한 며칠을 보내다 이렇게 혼자가 되니 슬며시 미소가 나오는 걸 보면 나는 어쩔 수 없는 내향인 인가 봐.

복 받은 며느리와 이상한 행운

 복 받은 며느리인 나는 올해도 전의 전쟁인 추석에서 홀연히 벗어나 시어른들을 모시고 남해로 여행을 다녀왔어. 올해는 지난 몇 년간의 명절 여행과는 다르게 정말로 편안하고 여유롭더라. 내가 많이 변하긴 했나 봐.

 결혼 후 명절 때마다 통영으로, 제주도로, 거제도로, 시어른들과 함께 여행을 다녔잖아. 전 부치러 가는 친구들의 한 맺힌 '부럽다…' 소리를 뒤로하고 여행을 떠나는 발걸음은 생각만큼 가볍지는 않았어. 명절마다 가는 여행 속에서 나는 '복 받은 며느리'였기 때문이야. 그냥 보통의 나로 존재할 수가 없었어.

 난 명절이면 기름 냄새를 몸에 한가득 묻히고 부엌에서 나올 줄 모르던 엄마를 지켜보며 컸잖아. 임신해서 배가 산더

미처럼 부른 와중에도 전을 구웠다는 친구 얘기를 들으며 화르르 폭발하기도 했고.

그래서 나는 기름 냄새에서 벗어난 명절을 보낼 수 있는 것이 행운이라고 생각했어. 남들 다 하는 노동에서 면제된 것이, 대한민국 여자들의 절규 같은 술렁임에서 한발 비켜난 것이 말이야.

그런데 그 행운은 이상했어. 명절마다 며느리들을 착취하는 이상한 문화가 사라져야 하는 것은 당연한데, 당연한 행운을 누리고 있자니 마음이 부대껴서 가만히 있을 수가 없었어.

'복 받은 며느리로 살게 해주셔서 감사합니다.'

머리를 숙이고 감사드려야 할 것 같은 기분. 복 받은 며느리에게 마땅히 기대하는 일들을 해나갔어. 함께 여행을 가고, 술잔을 기울이며 이야기를 나누고. 팔짱을 끼며 살갑게 굴고, 분위기가 무거워지면 눈치를 살펴 필요한 것을 채워

드리고, 자주 만나 손주를 보여드리고.

　대단한 결심이나 고민 없이 본능적으로 착한 며느리를 자처했어. 마치 전 부치기에 상응하는 노력을 해야만 좋은 며느리로 인정받을 수 있다는 듯이 말이야. 시어른들은 다정하고 사려 깊은 분들이었지만 미션을 수행하듯 맺은 관계는 싱그러울 수가 없었어.

배운 대로 착실히 살았지만

겨우 착한 사람일 뿐

　조남주 작가의 『그녀 이름은』이라는 책은 여자들의 이야기를 다룬 단편 소설집이야. 성추행당한 후 억울한 일을 겪는 여자, 결혼하자마자 거대한 가부장제 속에 휘말려 허덕이는 여자, 할머니가 되도록 한 번도 자기 인생을 살아보지 못한 여자.

　모두 각자에게 어울리는 역할을 충실히 수행하라고 강요받았지. 고분고분한 여자의 역할이었어. 소설집에 등장하는 이야기 중 「진명 아빠에게」라는 이야기는 너무 마음이 아파서 읽다가 몇 번이나 멈추었어. 할머니는 사별한 남편에게 이렇게 말해.

언젠가 딸이 회식했다고 술을 잔뜩 마시고 들어와서는 엄마 미안해, 하면서 펑펑 우는데 마음이 참 안 좋았어. 그게 왜 걔가 미안할 일이야. 걔는 내가 가르친 대로 열심히 산 것밖에 없는데. 근데 진명 아빠, 나 사실 좀 억울하고 답답하고 힘들고 그래. 울 아버지 딸, 당신 아내, 애들 엄마, 그리고 다시 수빈이 할머니가 됐어. 내 인생은 어디에 있을까.

『그녀 이름은』 조남주

딸로, 아내로, 엄마로, 할머니로 사는 동안 사라져버린 인생이었어. 할머니는 내내 누군가의 무엇으로만 존재했던 거야. 고유한 나로 존재해야만 누릴 수 있는 것들을 놓쳐버린 할머니의 인생이 너무 아파서 한참을 울었어.

배운 대로 착실히 살았지만 겨우 착한 사람일 뿐 자기 인생은 없다는 사실에 가슴이 미어졌어. 그 이야기들은 내 이야기이면서 동시에 엄마의 이야기였고, 친구들의 이야기이기도 했으니까.

엄마에게 여러 번 선언했던 것처럼 나는 이제 더 이상 그렇게 살지 않기로 했잖아. 내 안에는 수많은 책의 이야기들이 차곡차곡 쌓여있었고, 세상이 요구하는 대로 행동하지 않아도 별일 생기지 않는다는 것을 이제는 알아. 덕분에 엄마 역할, 며느리 역할, 아내 역할 등등 수많은 역할에 묻은 먼지를 훌훌 털어내고 진짜 내 모습으로 관계 맺기로 마음먹을 수 있었던 거야.

애쓰지 않고 내 모습 그대로 시어른들을 대해보기로 했어. 내 안의 깊숙한 곳에 자리 잡은 '좋은 나'를 믿고, 내 마음 가는 대로 행동해보기로 했지. 그래서 이번 추석에는 가고 싶었던 남해 숙소를 예약했어. 전에 없던 기대가 차오르더라. 그리고 추석날 남해 여행에서 신기한 일이 일어났어. 우리

시어머니의 얘기가 너무 재미있는 거야. '우리의 대화가 원래 이렇게 즐거웠나?' 생각했어. 어머니는 요즘 욕을 배우는 유튜브를 보고 계신대. 너무 웃기지? 그 얘기를 듣자마자 그 모습이 너무 내 모습 같은 거야. 착하게 사느라 화 한번 시원하게 못 내보고 욕 한번 내지르지 못했던 여자. 와하하 웃으며 욕은 꼭 배워야 하는 거라고 어머니에게 강력 지지를 보냈어. 쓸데없는 거 본다며 핀잔주는 아버님을 꼭 이겨내시라고, 응원도 했지.

사는 이야기, 하준이 키우는 이야기, 요즘 하는 운동 이야기들 주고받으며 바다를 낀 산책길을 걸었어. 어쩌면 어머니랑은 남편을 통하지 않더라도 친한 친구처럼 지낼 수 있겠다는 생각까지 들더라. 좋은 며느리가 되겠다는 마음만 버렸을 뿐인데, 역할에서 내려와 고유한 나로 어머니와 관계를 맺으니 마음이 스르르 풀어졌어.

하늘은 분홍색인 듯 보라색인 듯 물들고 시원한 바닷바람이 옷자락을 흔들던 그날, 하준이는 귀뚜라미를 잡느라 폴짝댔고, 나는 조금의 거짓도 없는 미소를 지으며 내 눈 앞에 펼쳐진 행복을 응시했어. 나로 사는 법을 아주 조금은 터득한 날이야.

그리고 호텔로 돌아가 여느 여행과는 다르게 침대에 몸을 파고들어 잠들어버렸지. 내 마음 가는 대로 말이야. 함께 와인 한잔하기를 기다리셨을지도 모르는 시부모님과는 다음이 또 있으니까.

'~해야 한다.' 같이
존재를 옥죄는 말들은 부숴버리기

엄마!

나는 누군가의 무엇으로 살지 않고 나로 살 거야. 엄마도 그랬으면 좋겠어. 추석날 상다리 부러질 듯 상을 차려놓고는 앉지도 못하고 분주히 부엌을 왔다 갔다 하는 장모님 역할은 이제 그만. 속상해. 엄마의 종종걸음이 묻은 음식들을 먹는 것보다 함께 숟가락을 드는 게 난 더 좋은데 말이야.

늘 자신 없이 '별로 맛이 없는데 우짜노.' 중얼거리지만 끝내주는 음식 솜씨를 가진 우리 엄마. 겨우 같이 식탁에 둘러 앉으면 자꾸 부족한 게 보이는지 다시 벌떡 일어나서 김치를 두 그릇에 나누어 담아 사위 가까운 쪽으로 스윽 밀어 넣고는 하는 우리 엄마.

희생하는 엄마 역할에서, 인자하고 사려 깊은 장모님 역할에서, 살림 잘 사는 아내 역할에서 훌쩍 뛰어 내려왔으면 좋겠어. 내가 그런 역할들로부터 살짝 내려와 봤더니 너무 좋아. 엄마도 이 좋음을 맛볼 수 있으면 좋겠어.

마음 깊숙한 곳에 들어있는 '좋은 자기'를 믿고, 자기 마음 가는 대로 하기. '~해야 한다.' 같이 존재를 옥죄는 말들은 부숴버리기.

엄마도 동참하고 싶다면 언제든 두 팔 벌려 환영이야.
나는 벌써 차근차근 실행 중!

순종과 해방 사이, 당신의 이야기

between obedience and liberation

your story

+ 세상이 나에게 기대하는 역할은 무엇인가요?

+ 역할을 수행하느라 나의 감정, 욕구를
모두 지워버린 경험이 있나요? 그때의 기분은 어땠나요?

+ 역할에서 내려와 나다운 모습으로 관계 맺어본 경험이 있나요?
그때의 기분은 어땠나요?

02 내 결혼만 망한 것 같을 때

『수치심 권하는 사회』 브레네 브라운

슈퍼스타 이효리와 우정을 나눌 수 있는 방법, 엄마는 혹시 알아? 아니면 역대 영부인들이 모인 자리에서 한바탕 수다 떨 수 있는 방법은? 바다 건너 사는 안젤리나 졸리와 급히 친밀감을 쌓기 위한 방법이라면?

그건 바로, '결혼은 현실'이라는 주제로 이야기를 나누는 거야. 아마 세상에 둘도 없는 절친이 될걸? 물론 모든 걸 솔직하게 훌훌 털어놓을 수 있는 20도짜리 알콜과 함께여야 가능한 얘기겠지만 말이야.

엄마와 이야기 나눌 때도 마찬가지야. 말이 안 통한다고 갸웃거릴 때도 있지만 결혼과 관련된 이야기를 나눌 때만큼은 영혼까지 연결되는 친밀감을 느끼거든. 말 한마디만 해도 그 뒤에 있는 수만 가지 감정들을 그려낼 수 있어. 이렇게 엄마와 잘 통하다니, 결혼하길 잘했다고 생각도 해보고 말이야. 어렵기만 하던 시어머니랑도 결혼 얘기를 나눌 때면 친구가 돼. 결혼은 세상 모든 여자의 마음을 하나로 묶어주려고 있는 제도인가 봐. 여성 연대를 위해서는 결혼이 필요한 걸까.

내 결혼은 다를 거라 믿었다

결혼하자마자 소꿉놀이하는 재미에 푹 빠졌었어. 보는 사람마다 신혼 재미가 어떠냐고 물었고 나는 웃음을 감추지 못하고 배실배실 웃으며 재미있다고 대답했지. 결혼한 지 한참 된 선배들은 의미심장하게 웃으며 '아닐 텐데.' 한 마디를 남겼어.

오만하게도 내 결혼은 다를 거라 생각했어. 엄마, 아빠를 통해 결혼 생활을 30년간 생생히 간접 체험했지만 우린 세대가 달랐으니까. 특별히 더 행복하고, 특별히 더 평화로울 거라 믿었어.

부대끼고, 다투고, 원망하고, 남처럼 굴며 이를 바득바득 갈다가 그러는 과정에서 이해하고 배려하고 안쓰러워하는 것. 내가 30년간 간접 경험한 결혼은 그런 것이었어. 나는 그것보다 조금 더 아름다운 결혼을 꿈꿨어.

사소한 갈등은 나의 주특기를 살려서 해결했어. 인내하기. 이해하기. 박 서방 역시 '속상해도 참고 견디기'에 탁월한 재능이 있어서 아름다운 결혼을 의심할 만큼의 일은 일어나지 않았어. 하지만 주특기를 아무리 발휘해도 해결할 수 없을 만큼의 갈등이 우리에게도 찾아오더라구. 도저히 내가 결혼한 이 남자를 이해할 수가 없었지. 결혼을 향한 야무진 꿈이 산산조각이 나버린 거야.

망했다.

망했다는 생각을 지울 수가 없었어. 나는 아무런 잘못도 하지 않았는데 이 남자 때문에 망해버렸다고 생각하니 분통이 터졌어. 나는 왜 이 남자를 선택했을까. 멍청하고 한심한 선택을 한 나를 견딜 수가 없었지.

비밀, 우리를 취약하게 만드는 것

가슴에 품은 원망과 후회를 어떻게 처리해야 할지 몰라 깊숙이 집어 넣어버렸어. 아무에게도 들키지 않게.

'나만 꺼내지 않으면 돼. 그러면 망한 게 아니야.'

아무것도 아니라는 듯이 남편과도 다시 웃으며 지냈어. 하지만 소화되지 않은 뾰족한 감정을 안고 사는 건 고역이었어.

샤워하다가도 갑자기 주저앉아서 엉엉 소리 내어 울고, 멀쩡하게 걷다가도 뜨거운 불구덩이가 가슴에서 불쑥불쑥 치

솟았어. TV에 행복한 부부가 나오면 그렇게 화가 날 수가 없었어. 남편 흉을 보는 것 같지만 듣다 보면 결국 알콩달콩 잘사는 부부의 모습을 감출 수 없는 친구와 수다를 떨고 오면 더 견딜 수가 없었구.

왜 내 결혼만 망했을까.

나만 망했다는 것을 들키고 싶지 않아서 열심히 숨겼어. 밖에서도, 집에서도. 망해서 괴롭다는 사실은 내 마음만 알고 있었지.

오랜만에 고등학교 친구들을 만났을 때도 그랬어. 결혼 생활이 너무 힘들다고 우는 친구 앞에서조차 내 마음을 털어놓지 못했거든. 입이 떨어지지 않았어.

여성에게 가장 큰 영향을 미치는 문제는 불완전함, 평범함, 대범하지 못함, 취약성에 대한 두려움이다.

우리는 누구나 가치 있는 존재가 되고 싶어 하고, 인정받고

싶어 하고, 자신이 옳다고 확인받고 싶어 한다. 자신이 쓸모
없는 존재 같고, 남들에게 거부당하고, 어딘가에 소속될 가
치가 없다는 느낌이 들 때 우리는 수치심을 느낀다.

『수치심 권하는 사회』브레네 브라운

두려웠어. 불완전한 결혼, 뒤틀리고 아픈 마음을 품고 사는 결혼 생활. 이런 이야기를 털어놓으면 내가 갖고 싶었던 '특별함', '완전함'이 완전히 내 손을 떠날 것 같았거든. 한심하고 멍청한 존재가 되고 말 거라는 불안에 사로잡혀 있었어.

그랬던 나는 이 책을 읽으며 머리를 한 대 맞은 것 같았어. 책에 적혀있는 모든 이야기가 나를 향하고 있었거든. 브레네 브라운은 여성들이 사로잡혀 있는 감정인 '수치심'에 관해 연구했어. 여성들 대부분은 모두 당위에 사로잡혀 산다고 했지.

'화목한 가정을 이루어야 한다.'
'좋은 엄마가 되어야 한다.'
'다정하고 부드러운 성격을 가져야 한다.'

'아름다워야 한다.'

'유능해야 한다.'

그 중 특별히 자신이 취약하다고 느끼는 부분이 있을 것이
고 그것이 드러나는 순간 수치심을 느낀다고 했어. 아무도
수치심을 드러내지 않기 때문에 '나만' 잘못되어가고 있다는
생각을 갖고 불안에 떨며 산다고 했지.

편안히 취약해질수록

불안은 줄어든다

수치심을 극복하기 위한 방법은 손을 내밀어 연대하는 것
이라 했어. 그 수치심이 나만의 것이 아니라 보편적 경험이
라는 것을 알 수 있도록 말이야.

남에게 손을 내밀 때 얻는 가장 중요한 이점은 자신을 외
롭게 만들었던 경험이 실은 자기 혼자만 겪은 것이 아니라
누구나 겪는 보편적인 경험이라는 사실을 깨닫는 것이다.

내가 누구든 어떤 환경에서 자랐든 무엇을 믿든 상관없이, 우리는 누구나 자신이 부족하고, 충분히 갖지 못했고, 완전히 소속되지 못했다는 생각과 남몰래 조용히 싸운다.

『수치심 권하는 사회』 브레네 브라운

'손을 내밀고 내 이야기를 나누어야 한다.' 답은 알고 있었지만 행동으로 옮기기가 쉽지 않았어. 친구 앞에서도, 엄마 앞에서도, 아무에게도 입이 떨어지지 않았어.

그래서 글을 썼어. 내 모든 감정과 기억을 털어 글에 쏟아 부었지. 그렇게 쓴 글을 들고 글쓰기 모임을 찾았어. 모임에 참가하는 사람들은 각자 자기를 짓누르는 바위에 대해 숨김없이 글을 써왔어. 함께 서로의 이야기에 깊이 공감하고 마음을 나누었지.

그 과정은 내게 진흙탕에서 나와 따뜻한 물로 샤워하는 기분을 안겨주었어. 내 취약함을 솔직하게 내보이니 거기에 다른 사람들의 비슷한 경험들이 얹어졌어. '특별해야 한다.', '아름다워야 한다.'라는 이유로 털어놓지 못했던 이야기들을 꺼내놓고 나니 내 손을 단단히 잡아주는 사람들이 생긴 거야.

특별하지 않아도 괜찮고, 취약해져도 괜찮다고 허락받은 기분이었어. 안전한 사람들 사이에서 편안히 취약해질수록 불안은 줄어들었어.

다시 쓰는 나의 결혼 이야기

내 결혼은 새롭게 쓰여지기 시작했지. 더 이상 망한 결혼이 아니었어.

내 이야기를 들어주고, 자신의 이야기를 꺼내주며 손을 잡아준 사람들 덕분에 결혼에 관한 엄청난 진실을 알게 됐거든. 두 사람이 만나 공동체를 이루어 살아가는 결혼의 기본값은 행복이 아니라 '갈등'일 수밖에 없다는 진실 말이야. 그렇게 시각을 바꾸니 모든 것이 쉬워졌어. 갈등은 당연히 넘어야 할 산이었고, 넘은 뒤 찾아오는 유대감은 새로운 종류의 행복이었어.

나는 갈등은 피하는 것이 상책이라고 여기며 살았었거든. 그런데 갈등을 직면하고, 해결하고 나니 전에 없던 유능감이 생기더라구. 내게 생기는 어떤 문제와 갈등도 해결할 수 있다는 자신감이 불끈 생겼지.

내 이야기를 털어놓은 후 얻게 된 또 다른 것은 남편을 향한 새로운 시선이야. 원망을 끌어안고 사느라 보지 못했던 남편의 노력이 그제야 보였어. 주말마다 부지런히 밥상을 차리는 모습, 나만 쓰는 생리대나 트리트먼트가 떨어져 갈 때쯤이면 말하지 않아도 사서 창고에 채워놓는 모습, 가족과 함께 보내는 시간을 최우선순위에 두고 생활하는 모습. 남편도 무던히 애쓰고 있었던 거야. 함께 높은 산을 넘어보기 위해서 말이야. 결혼을 후회하던 마음은 이제 없어. 함께 노력하는 남편을 만난 것, 그래서 우리의 생활이 결혼 전보다 훨씬 더 다채롭고 풍요롭다는 것. 모두 감사해. 결혼은 내게 희로애락이 꽉 들어찬 시간을 선물해줬어.

수치심과 취약함을 감추느라 써온 에너지를 이제 삶을 건강하게 살아가는 데 쓸 수 있게 되었어. 다시 친구들을 만난

날, 내 이야기들을 털어놓았지.

몇 년 전 눈물 흘리던 그 친구도 도저히 넘을 수 없을 것 같던 산을 겨우 넘고 이제는 편안해져 있었어. 함께 오래 울었어. 이야기해줘서 고맙다고, 우리의 이야기가 서로에게 들려지는 한 앞으로 넘어야 할 산도 얼마든지 함께 넘을 수 있을 거라고.

손을 내밀고 연대한다는 것이 이렇게 불행에서 나를 구해주는 것인지 알았더라면 진작 소리쳐볼 걸 그랬어.

엄마! "우리 딸, 그동안 얼마나 힘들었니."라며 토닥이며 나를 안아주던 우리 엄마.

엄마도 이 모든 과정을 지나왔다며 엄마의 이야기를 들려줄 때 나는 우리가 더 하나가 된 것 같았어. 완벽한 결혼 생활은 이룰 수 없겠지만 처음보다 나은, 어제보다 나은 결혼 생활을 이어가며 삶의 진짜 모습에 가까이 다가가 볼게. 멈추지 말고 이야기하면서.

순종과 해방 사이, 당신의 이야기

between obedience and liberation

your story

\+ 나를 취약하게 만드는 문장은 무엇인가요?

'화목한 가정을 이루어야 한다.'
'좋은 엄마가 되어야 한다.'
'다정하고 부드러운 성격을 가져야 한다.'
'아름다워야 한다.'
'유능해야 한다.'

\+ 숨기고 싶은 비밀, 부족한 내 모습을 글로 적어보세요.
아무도 내 글을 보지 않는다고 생각하고 솔직하게 마주해보세요.

\+ 적은 글을 안전한 상대에게 털어놓는다고 상상해보세요.
어떤 마음이 드나요?

03　　　모든 모양의 몸을 위하여

『헝거』 록산 게이

　엄마! 사진 속 얼굴과 몸매를 보정해 주는 어플에 대해 들어본 적 있어? 아주 기가 막히게 보정이 잘 돼서 고쳤는지 안 고쳤는지 알 수가 없을 정도야. 몇 년 전에 이런 어플을 처음 해봤거든. 어플을 열면 대단한 세계가 펼쳐져. 몸과 얼굴에서 마음에 안 드는 부분을 콕 집어서 예쁘게 바꿀 수 있어. 다리는 조금 더 얇고 길게, 목과 어깨를 연결하는 승모근은 보이지 않게, 가슴은 봉긋하게, 허리는 잘록하게, 피부는 하얗고 윤기 나게, 눈은 크게. 눈동자 색과 입술 색을 바꿀 수 있는 건 기본이야.

이 어플을 통과하고 나면 자신에 대한 만족도가 수직 상승해. 사진 속의 아름다운 나에게 도취되고 말지. 크크. 그렇게 행복한 기분으로 마무리되면 좋을 텐데 실상은 그렇지가 않더라구. 내 몸을 부분, 부분 쪼개어 수정할 대상으로 삼고 나니 수정하지 않은 몸은 편안히 받아들여지지 않는 거야. 수정한 사진 속의 나는 아름다운데, 보정 어플을 통과하기 전의 나는 하나, 하나 뜯어고쳐야 할 부적절한 몸을 가진 대상이 되고 말더라구. 현실의 내 몸을 더 불만스럽게 바라보게 됐어.

'내 허벅지는 왜 이렇게 굵은 거야? 내 다리는 왜 이렇게 짧은 거야? 내 피부는 왜 이렇게 칙칙하지? 얼굴이 더 작으면 좋을 텐데.'

두꺼운 허벅지

그 부적절함에 관하여

그중 단연 뜯어고치고 싶었던 건 도저히 감춰지지 않던 내 허벅지였어. 상체만 보면 상상할 수 없을 만큼의 퉁퉁한 내 허벅지. 엄마는 하체가 튼튼한 몸이 나이 들면 좋은 몸이라고 수도 없이 말해줬지만 내 귀에는 하나도 들리지 않았어. 나에게 중요한 건 나이 든 후의 내 몸이 아니라 현재의 내 몸이었으니까. 내가 살고 있는 현재의 세계에서 두꺼운 허벅지는 아름답지 않은 다리, 보기 안 좋은 다리, 어떻게든 변화시켜야 하는 다리였으니까. 한마디로 부적절한 다리였지.

이놈의 부적절한 다리는 운동을 해도 끝까지 바뀌지 않고 끈질기게 존재감을 드러냈어. 스키니진을 입지 않으면 무조건 촌스럽게 보일 정도로 바지의 표준이 스키니진이었던 이십 대 때는 절망적이었어. 오동통하고 탱글탱글한 허벅지를 세상에 내보이기 싫었거든. 그렇다고 어중간한 길이의 치마를 입는 것도 싫었고. 그 시절 나는 내 허벅지를 받아들일 수 있으면서도 촌스럽지 않은 옷을 찾아 헤매느라 얼마나 애를 먹었는지 몰라. 굵은 내 허벅지와 화해하지 못한 채 살았던 시간이었지.

요즘은 엄마도 알다시피 사이좋게 지내고 있지만 말이야.

여전히 굵은, 아니 더 굵어져 버린 내 허벅지가 꽤 마음에 들어. 살을 깎는 고통을 쉬지 않고 겪어야만 겨우 도달할까 말까 한 얇은 허벅지라는 목표는 이제 수정되었어. 근육질 허벅지로 말이야.

허벅지와 화해하기

이렇게 굵은 허벅지를 기꺼이 받아들이고 화해할 수 있었던 건 모두 다 달리기 덕분이야. 달리기를 시작한 후로 잘 달리는 내 다리가 정말 고마워졌어.

오늘 아침 오랜만에 다시 달리기를 하러 나갔어. 한 달 넘게 쉬었더니 '잘 달릴 수 있을까.' 하는 긴장감이 희미하게 따라왔어. 파리 마라톤에 출전하는 마라토너라도 된 듯 비장한 마음으로 달리기 시작했지.

선선한 바람을 흠뻑 느끼며, 시원한 공기를 폐 끝까지 밀어넣었어. 쭉 뻗은 길을 쉬지 않고 달릴 때면 원하는 대로 움직여주는 내 다리가 그렇게 좋을 수가 없어. 뛸 때마다 다리의 작은 근육들이 얼마나 서로 끈끈하게 연결되어 있는지 느껴져. 그 움직임들이 나를 좋은 곳으로 데려가. 햇살, 바람, 초록 나무, 아침 공기가 있는 곳으로. 더없이 좋아. 그 좋은 것들 사이를 가쁜 숨을 몰아쉬며 달리고 있으면 내가 그 좋은 것들과 촘촘히 연결되는 기분이 들어. 그냥 달렸을 뿐인데 이토록 좋다니. 두 다리를 힘껏 움직였을 뿐인데 이토록 자신만만해지다니. 그 어떤 잔기술도 필요 없이 끈기 있게 두 다리를 움직이기만 해도 되는 달리기라는 이 운동이 나에게는 정말 딱인 것 같아.

　뜯어고쳐야 한다고 여겼던 굵은 허벅지가 이제는 힘껏 달릴 수 있도록 에너지를 주는 자신만만한 허벅지가 된 것. 이 변화는 나에게 생각지도 못한 새로운 태도를 가져다줬어. 더 이상 보여지는 몸에 집착하지 않고, 잘 기능하는 몸을 열심히 단련시키기 시작한 거지. 이래라저래라 내 몸에게 요구하는 세상의 목소리에 맞서서 내 몸의 주인으로 온전히 자리한 거야.

**　한 인간으로서의 나의 가치는 내 옷의 사이즈나 외모에 있**

지 않다고 믿고 있다. (믿고 싶다.) 일반적으로 여성에게 악의적인 문화, 여성의 몸을 끊임없이 통제하려 하는 문화 안에서 여성으로 성장하는 것이 무엇인지 알고 있으며 내 몸이나 내 몸이 어떻게 보여야 한다는 것에 대한 비합리적인 기준에 저항하는 것이 매우 중요하다고 믿는다.

『헝거』록산 게이

오랫동안 나를 아프게 했던 책이지만, 동시에 더 많은 사람이 읽고 함께 생각해나가기를 바라는 책『헝거』의 한 구절이야. 저자 록산 게이는 어린 시절 남자친구라고 믿었던 사람을 포함한 여러 남자들에게 집단 성폭행을 당했어. 그 이후 자신을 지키기 위해, 아무도 욕망할 수 없는 거대한 요새처럼 몸을 만들기 시작해. 먹고 또 먹으면서.

이 책은 성폭행이 한 사람의 인생에 얼마나 끔찍한 영향을 미치는지를 사람들에게 알리는 것에서 멈추지 않아. 여성의 몸에게 요구되는 무수히 많은 기준, 그 기준에 부합하도록 끊임없이 불편을 강요당하는 대상화된 여성의 존재를 공론화 시켜주지. 록산 게이의 치열하고 내밀한 고백 덕분에 보정 어플 속 분절화된 미의 기준을 갖고 살던 나는 의식의 틀을 망치로 쾅쾅 깨고 나왔어. 잘 달리는 튼튼한 두 다리로 성큼성큼 뛰쳐나왔지.

튼튼한 허벅지로
지구 곳곳을 달릴 거야

한 인간으로서의 가치가 옷의 사이즈나 외모에 있지 않다고 말하는 록산 게이의 말을 마음에서 절대 지우지 않을 거야. 우리는 모두 알고 있으면서도 자꾸 잊은 채 행동하잖아. 마치 뚱뚱한 여자는 실패한 여자라는 듯이, 아름답지 않은 여자는 별 볼 일 없다는 듯이. 다듬어지지 않은 날 것의 시선에 몸을 내맡긴 채 철저히 복종하면서 말이야.

내 몸의 가치는 아름다움을 위해서 존재하지 않는다는 진실을 마음으로 받아들이고 나니 말로 표현할 수 없는 자유가 찾아왔어. 아름답고 정형화된 몸을 위해 쓰던 많은 에너지를 다른 곳에 쓸 수 있게 됐거든. 나는 그 커다란 진실을 붙들고 튼튼한 두 다리로 지구 곳곳을 달리려고 해. 할머니가 되어서도 달릴 수 있는 몸으로 살기 위해 더 튼튼하게 근육들을 늘려 가면서 말이야.

하체가 튼튼한 몸이 진정 멋진 몸이라고 수없이 나를 구슬리던 엄마의 말들이 다시 떠올라. 엄마는 딸이 왜곡된 바디 이미지 속에서 건강을 헤쳐가며 다이어트 하는 것이 안타까웠겠지? 이제야 엄마가 건넨 말이 어떤 의미였는지 알 것 같아. 굵든 얇든, 뚱뚱하든 말랐든, 어떤 모습이든 나에게 자유를 허락하는 건강한 몸이라면 난 그걸로 대만족이야.

오늘 편지의 마지막은 이렇게 마무리하고 싶어.
"세상에 존재하는 모든 모양의 몸을 위하여."라고.

순종과 해방 사이, 당신의 이야기

between obedience and liberation

your story

+ 나의 몸 중 '세상의 기준에 맞지 않기 때문에 바꾸어야 한다.'
라고 생각하는 부분이 있나요?

+ 마음에 들지 않는 내 몸의 한 부분, 그 부분은 나를 위해
어떤 기능을 하고 있나요?
그 부분을 통해 어떤 자유를 누릴 수 있나요?

+ 내 몸과 화해하고 그 부분을 편안히 받아들인다면
어떤 변화가 생길까요?

04 　보이지 않지만 소중한

『글 쓰며 사는 삶』 나탈리 골드버그

　오늘은 엄마에게 한없이 칭얼거리고 싶은 날이야. 절망적인 날이거든. 노력해온 모든 게 결국 무용한 것으로 끝나 버릴 것 같다는 생각 때문에 두려워. 나에겐 시간이 많았는데, 그 많은 시간을 글쓰기에 몽땅 바쳤는데. 아무것도 증명하지 못하고 처음으로 돌아갈까 봐 두려워.

　어젯밤에는 글을 쓰고 피드백을 받는 온라인 모임을 가졌어. 엄마에게 쓴 편지들을 모아 투고할 계획이라고 말했어. 혹평을 받았지. '원고의 모든 내용을 편지로 구성하는 것은 무리가 있다.', '아기 얘기는 많이 하면 좋지 않다.' 등등. 그

중 가장 아팠던 말은 '투고해도 잘 되기 어렵다.'라는 말이었어. 머리에 뜨거운 기운이 몰렸다가 한 번에 빠져나가는 것 같았어.

절망감을 느낀 건 출간을 바라는 마음이 간절했기 때문이었어. 일년내내 글만 쓰냐고 묻던 남편에게, 휴직 후 살림과 육아에 집중하는 대신 독서와 글쓰기에 빠져 시간을 보낸 스스로에게 증명할 것이 필요했어. 허투루 쓴 시간이 아니라고. 세상에 자랑스레 내놓을만한 책 한 권이 필요했던 거야.

즐거움이자 해방이었던
나의 글쓰기

글쓰기를 시작할 때는 이런 모습이 아니었어. 내게 글쓰기는 즐거움이자 해방이었지. 꽉 막힌 마음에 불어오는 바람 한 줄기 같았어. 글을 쓰고 나면 속이 시원해졌거든.

숨 쉴 구멍이 단 한 군데도 없어서 마음이 새파랗게 질려있던 시절, 말로는 하지 못했던 것을 글로 쓰기 시작했어. 말로 하면 절대 하지 못할 이야기들이 하얀 백지 앞에서는 술술 이어져 나왔어. 하루 종일 나만 바라보는 아기를 키운다는 것이 얼마나 숨 막히게 힘든 일인지, 지금 이 순간 남편이 얼마나 미운지. 감추고 살았던 원망과 분노를 글 속에 쏟아부었어. 이런 말을 해도 괜찮을까, 우물쭈물 눈치 보던 내가 활자 앞에서는 마구 용감해졌지. 거침이 없었어. 무엇이든 다 쏟아냈어. 아무도 보지 않는 백지에 글자를 적어 내려갈 때마다 용감한 무사가 되어갔어. 선악의 논리에 갇혀 무던히 선만 쫓아가려 애쓰던 내 모습이 글을 쓸 때만큼은 사라졌지. 선악의 경계를 성큼성큼 넘나들며 당위 따위는 벗어던졌어. 오래도록 곪아가던 마음은 활자가 되어 튀어나와 펄떡였어.

엄마! 사실 나는 오랫동안 이상한 믿음에 갇혀 살았어.

'이런 말을 하면 이상해 보일 거야.'
'이런 모습은 한심해 보일 거야.'

정돈되지 않은 모습을 남들에게 보이면 안 된다는 믿음이었지. 단정하고 선한 내 모습만 선별해서 사람들 앞에 보여주었고, 정리된 말만 건넸어.

그런데 하나도 정돈되지 않은 모난 마음을 써 내려간 내 글을 함께 읽어준 사람들의 반응은 놀라웠어. 아무것도 아니었던 거야. 털어놓지 못해서 혼자 끙끙 앓아왔던 문제들은 모두 '그럴 수 있는' 것들이었어. 정돈되지 않은 나를 보여준다고 해서 큰일이 벌어지는 것도 아니었어. 망한 인생이 되는 것도, 초라한 내가 되는 것도 아니었지.

새파랗게 질려있던 마음에 붉은 피가 돌기 시작했어. 죽어가던 내게 활력이 되어준 글쓰기였지. 자유로웠어. 나를 살려준 글쓰기. 나를 구원해준 글쓰기. 글을 쓸 수 있어서, 글 덕분에 숨을 쉴 수 있게 되어 감사했어.

그래서 계속 이어온 글쓰기였는데 쓰다 보니 어느새 욕심이 생겨버렸어. 책 한 권 얻자고 시작한 글쓰기가 아닌데, 편안히 숨을 쉬기 위해 글을 쓰는 거였는데 말이야. 어느새 글쓰기는 내 가치를 인정받기 위한 수단이 되어있었어. 세상이 좇는 것으로부터 자유로워지겠다고 다짐했으면서도 잘되지 않았어. 지독하고 끈질기게 따라오는 성과에 대한 집착이었지. 모든 행위가 성과를 내야만 의미가 있는 것은 아닌데, 행위 자체로 즐거움과 활력을 주는 것들이 있는 건데 말이야.

말보다 글이 편한 나는 처음 글을 쓸 때의 마음으로 돌아가 나를 돌아보려 해.

나탈리 골드버그『글 쓰며 사는 삶』에 이런 내용이 있어.

글 쓰는 게 힘들어질 때면 속으로 이렇게 중얼거린다. "실

패만 아니면 돼." 글쓰기의 유일한 실패는 글쓰기 자체를 그
만두는 일이다. 그게 바로 실패다. 글쓰기를 그만둔다는 건
자신의 투정을 긍정하는 것과 같다. 그러면 안 된다. 세상이
당신에게 소리치든 말든 신경 쓰지 말고 내면의 세계를 단
단하게 구축하라.

『글 쓰며 사는 삶』 나탈리 골드버그

 이 구절을 읽고 나니 실패는 절대 하지 않을 것 같다는 확
신이 들었어. 오늘처럼 절망적인 순간에도 이불 속으로 파
고들어 슬픔에 잠겨 있지 않고 글을 쓰고 있으니까 말이야.
오늘의 좌절감도 글로 풀어내니 한결 가슴이 시원해져. 역
시 글쓰기는 이 맛이야. 마음에 한 줄기 바람이 되어주는 이
맛 말이야.

 성과에 집착하지 않고 행위 자체의 의미를 찾기. 이건 글
쓰기뿐만 아니라 모든 행위에 해당하는 말이라는 생각이 들
어. '왜 이렇게 일이 안 풀리지.' 속상해질 때마다 오늘의 기
분을 다시 떠올릴 거야. 좌절감 때문에 그만두지만 않는다
면 그것은 의미를 가질 수 있다고 말이야. 이렇게 생각하고

보니 당장 눈에 보이는 것을 손에 거머쥐지 않아도 괜찮다는 결론에 이르렀어. 이미 나는 글쓰기가 주는 쾌감을 누리고 있으니까.

박 서방이 며칠 전 자기 전에 물었어.

"내일 뭐 해?"
"글쓰기 할 거야."
"일 년 내도록 글을 쓰네. 얼마나 썼는데? 책 한 권 나올 만큼 썼어?"

'책 한 권'이라는 말에 조급한 마음이 스쳤지만 다른 방향으로 생각해 봤지. 일 년 내도록 그만두지 않고 차곡차곡 쌓아온 시간이 보였어. 나를 잘 살도록 지켜준 일 년간의 글쓰기. 글쓰기에 몰입했던 일 년이라는 시간은 더 이상 결과물을 내라고 압박하는 시간이 아니라 든든한 지원군처럼 느껴졌어.

나는 언제나 엄마의 손끝이 아까웠어.

부산일보에 멋진 글을 기고하던 엄마의 손끝, 어머니 백일장 대회에서 금상을 받을 만큼 아름다운 산문을 쓰던 엄마의 손끝, 짧은 쪽지마다 눈물 쏙 빼는 진심을 담은 글을 쓰던 엄마의 손끝, 엄마의 손끝에서 탄생하던 아름다운 문장들이 책의 모양을 하지 못하고 흩어지는 게 너무 아쉬웠어. 엄마는 아무런 욕심도 없었겠지만 말이야.

이제야 알겠어. 엄마의 글은 인정이나 성과를 향해 있었던 게 아니라는 것을 말이야. 엄마에게는 손끝을 움직이는 그 순간이 즐거움이었겠구나, 생각해. 세상에 내놓을만한 트로피보다 더 뜨거운 것이 엄마의 가슴을 채워주었을 것이라고 말이야.

엄마에게 편지를 쓰고 나니 절망만 가득했던 내 마음에도 뜨거운 것이 다시 차올라. 나는 계속 쓸 거야. 내 가슴을 채워줄 뜨거움을 위해.

순종과 해방 사이, 당신의 이야기

between obedience and liberation

your story

⁺아무런 보상이나 성과가 없어도

온 마음을 기울여 기꺼이 할 수 있는 일이 있나요?

⁺그 행동을 계속하게 만드는 동력은 무엇인가요?

05 　　나에게 고통을 허락해 주세요

『미쳐있고 괴상하며 오만하고 똑똑한 여자들』 하미나

　엄마, 며칠 전에 친구에게 전화가 왔어. 울먹이는 목소리로 내 이름을 부르고는 아무 말도 하지 못하더라구. 가슴이 철렁했어. 우리는 오랜만에 전화해도 늘 장난스러운 대화로 서로의 일상을 환기해주던 사이였으니까. 평소와는 다른 친구의 목소리에 깜짝 놀란 거야.

온몸과 마음으로 느끼는 고통을

자기 자신조차 인정해 주지 않을 때

친구는 겨우겨우 말을 이어 나갔어. 복직 후 온전한 정신으로 살아가기 힘들 만큼 하루가 너무 버겁다고 했어. 내가 지난 몇 년간 겪었던 그 지난한 우울과 답답함을 친구도 겪고 있다는 생각에 마음이 너무 아팠어. '여'교사인 우리가 겪은 고통의 가장 큰 문제는 아무도 우리의 힘듦을 인정해 주지 않는다는 거였어. 심지어 자기 자신조차 말이야.

'애 키우기 제일 좋은 직업이 여교사라고 하는데 나는 왜 이렇게 힘들어하지? 내가 나약한가?'
'내가 지금 엄살 부리고 있는 건가?'
'남들은 이것보다 훨씬 더 힘들게 살 텐데.'

온몸과 마음으로 느끼는 고통을 의심하면서 말이야.

친구의 전화 덕분에 어두운 터널을 걷는 것 같았던 지난 몇 년을 돌아봤어. 아이를 키우는 30대 여자 교사의 하루란 바끝에서 보는 것만큼 편하고 단순하지는 않아.

 해가 뜨기 전 어두운 새벽, 먼저 일어나 아이 등원 준비, 아침 식사 준비로 하루가 시작되지. 내가 어렸을 적 엄마가 그랬던 것처럼 말이야. 후다닥 출근 준비를 하고 학교로 뛰어가면 스물다섯 명의 아이들과 복작거리는 하루가 시작돼. 균일한 것은 나이라는 한가지 요소밖에 없는 다양한 아이들과 소란을 잠재워가며 그날 공부할 내용을 가르치는데, 늘 아쉬움과 불만족이 남아. 알려준 내용을 소화하지 못한 친구들, 통제에서 벗어나 자기 세계에 빠져있는 친구들은 수업 시간마다 있으니까 말이야. 쉬는 시간이면 더 우당탕거리는 교실에서 사고가 나지 않게 화장실도 참아가며 아이들을 돌봐.

 온 에너지를 털어서 아이들과의 일과를 끝내고 나면 맡은 업무와 수업 준비를 해야 하는데, 그때부터 마음은 더 분주해져. '육아시간'을 쓰고 원래 퇴근 시간보다 일찍 퇴근해서 아이 하원을 시켜야 하기 때문에 업무를 할 시간이 넉넉지 않거든. 초인적인 집중력을 발휘해서 할 일을 겨우 마치고 나면 아이 하원 시간에 겨우 맞출 수 있어.

하원 차량 시간에 맞춰서 도착하지 못할까 봐 마음 졸이면서 액셀을 밟고 마구 달려. 그러다가 교통체증이라도 있는 날엔 불안감에 신경이 곤두서지. 길가에 아이만 덩그러니 남게 될 끔찍한 상상을 하면서 말이야. 허겁지겁 도착해 아이를 만나면 엄마로서의 일들이 시작돼. 놀아주고, 숙제 봐주고, 밥하고, 설거지하고, 정리하고, 씻고, 재우고.

그러다가 누군가 이런 말들을 보태는 날에는 어김없이 무너지고 말아.

"육아시간 쓰고 일찍 나가서 좋겠다. 일찍 나가면 좋지?"
"나도 선생이나 할걸. 부럽다."
"일도 하고, 애도 키울 수 있는 건 복이야."

나는 일찍 퇴근한 후 노는 게 아닌데, 그렇다고 학교 업무를 덜 하는 것도 아닌데, 민폐 끼치고 싶지 않아 오히려 더 맡아서 하는데…. '선생이나'라고 불러도 될 만큼 쉽게 일하고 있는 게 아닌데…. 일도 하고 애도 키우느라 정작 나 자신은 돌보지 못하고 망가져 가고 있는데…….

　내 하루가 생각만큼 쉽고 편안하지 않다는 것을, 사실은 아
주 많이 고되다는 것을 구구절절 설명해봐도 결국은 '그래도
그 정도면 괜찮은 거야.'라는 시선이 되돌아왔어.

　다른 사람이 쉽게 건넨 말들을 반복해서 듣다 보면 '내가 느
끼는 힘듦, 우울, 답답함은 진짜가 아닌가.'라는 의심을 하게
돼. 다들 이것보다 훨씬 더 고통스럽게 살아가고 있는데 내
가 나약해서 이것도 못 견디고 힘들어하는 건가. 더 스스로
를 몰아붙이고 말아.

　기력이 다 빠져나간 몸을 여기저기 끌고 다니느라 어떤 날
은 바닥에 주저앉아 엉엉 울고 싶어져. 온몸에 고통이 세포
마다 각인 되어 있는데, 그런 순간조차 나는 내게 고통을 쉽
게 승인해 주지 않았어.

　'다들 힘들게 사는데, 옛날엔 더 힘들었다던데 이 정도로 힘
들어해도 되는 건가?'

'남들 말대로 애도 키우고 일도 하니 감사해야지. 힘들다고 징징대는 건 투정이야.'

자신의 고통과 경험이 진짜인지를 계속해서 의심하게 되고, 때로는 나의 우울이 진짜가 아니며 특정한 상황을 탈출하기 위해 스스로 꾸며낸 감정이라고 생각하게 된다. (...) 나는 고통을 유발한 사건 자체보다도 이것이 받아들여지지 않은 일련의 과정이 차곡차곡 반복되면서 고통이 심화한다고 생각한다. 아픈 걸 아프다고 말하지 못할 때, 상처받은 것을 상처받았다고 말하지 못할 때, 내가 경험하는 고통이 타인과 연결되지 못할 때, 고통은 깊어진다. 스스로 거부해도 몸으로 나타난다. 내 일상과 삶을 뒤흔든다.

『미처있고 괴상하며 오만하고 똑똑한 여자들』 하미나

몸으로 또렷이 감각하는 고통마저 의심하던 나. 교사는 좋은 직업이라고 말하니까, 다들 이렇게 산다고 말하니까 섣불리 고통을 인정할 수 없었어. 왜 고통마저도 허락받아야만 느낄 수 있게 되었을까?

『미쳐있고 괴상하며 오만하고 똑똑한 여자들』이라는 책은 이 문제가 나만의 문제, 또는 여교사만의 문제가 아니라는 것을 알려줬어. 여성 우울증에 관해 심도 있게 다룬 책이지. 우리가 '우울증'이라고 통칭하는 병명 속에 얼마나 많은 맥락이 숨어 있는지, 그리고 그 맥락이 개인적 차원이 아니라 얼마나 사회적인 문제인지 하나씩 파고 들어가.

책 속에 등장하는 여자들은 우울증을 앓으면서 하나같이 자기 고통에 대해 의심했어. 받아들여지지 않는 고통은 '내가 예민한가?'라는 의심으로 이어지고 결국 침묵으로 귀결되더라구. 왜 여자들은 고통마저도 허락받은 만큼만 느낄 수 있는 걸까.

너무 많은 요구에 순순히 응하면서도, 착실히 모든 것을 해내면서도 스스로에게는 결코 친절하지 않은 여자들. 그 삶이 너무 아팠어.

내 서사는 나만이 아는 거니까

울먹이는 친구에게 말했어.

"너 진짜 힘들만 해. 그렇게 분 단위로 하루를 쪼개서 사는데, 힘든 게 당연해. 자기는 돌보지도 못하고 하루 종일 종종거리잖아. 겪어보지 않은 사람들이 쉽게 하는 말에 속상해하지 마. 네가 얼마나 힘든지 알아."

같이 엉엉 울었어. 친구에게 한 말은 지난날의 나에게 건네는 말이기도 했거든.

세상의 시선 때문에 자기감정을 무시하는 일이 더 이상 반복되지 않았으면 좋겠어. 누군가가 쉽게 건넨 말 때문에 자신의 고통을 외면하고 축소 시키지 않기를. '나는 지금 힘들어. 힘들만 해.'라고 자신의 고통을 인정해 주기를.

내 서사는 나만이 아는 거니까.

'다들 그렇게 살아'라는 말 대신

엄마. '다들 그렇게 살아.'라는 말로 엄마 역시 지난한 시간을 거우 버터왔을 거라고 생각해. 나와 동생을 키우고, 집안 일을 하고, 직장 일을 하고, 몇 차례의 위기를 간신히 넘기고 나서야 지금에 도착했을 거야. 아마 그때의 엄마에게는 다들 그렇게 산다는 말이, 이 정도는 힘든 것도 아니라는 말이 무너지지 않고 엄마를 버티게 해주는 단 하나의 마법 같은 문장이었을지도 모르겠다는 생각이 들어. 지금 겪는 고통이 나만의 고통이 아니라는 사실이 때로는 커다란 위로가 되기도 하니까 말이야.

하지만 엄마 딸들은 더 넓은 세상을 보며 자라왔잖아. 세상에 존재하는 수만 가지 모양의 삶을 구경하면서 말이야. 그렇게 자라온 딸들은 '다들 그렇게 산다.'라는 말에 위로받고 묵묵히 고통을 인내하며 살 수가 없어.

고통을 고통이라 말하고, 목소리를 모으고, 고통 너머에 존재하는 다른 모양의 삶을 모색하기 위해 노력할 거야. 여교사의 삶에 들러붙은 고통뿐만이 아니야. 전업주부에게도, 비혼주의자에게도, 황혼육아를 하는 할머니에게도, 달이 뜨고서야 퇴근하는 워킹맘에게도 각자의 고통이 있을 거야.

우리가 할 일은 '나도 힘들어. 그 정도는 참아봐.', '그건 아무것도 아니야.'라는 시선 대신 서로의 고통을 인정해 주는 것이라고 생각해. 거기서부터 작은 변화는 시작될 거야.

예전에 내가 엄마에게 그랬었잖아.

"엄마는 좋겠다. 너무 부러워. 시간을 엄마 마음대로 쓸 수 있잖아. 나도 빨리 나이 들어서 시간 부자가 되면 좋겠어."

내 말에 엄마는 웃으면서 그랬지.

"좋지. 엄마 마음대로 하며 사는 거 너무 좋지. 근데 엄마 나이가 되면 이 나이만큼의 또 다른 힘든 일들이 있어. 안 부러워해도 돼."

엄마 나이의 힘든 일이 무엇인지 어린 나는 감히 넘겨짚지 못하지만, 엄마의 얼굴을 보며 생각했어. 엄마가 힘들다고 말을 건네오는 순간에, 내가 가장 힘들다는 듯이 엄마의 고통을 모른 척하지 않겠다고 말이야.

　엄마의 이야기를 들어주는 귀가 필요하다면 망설이지 말고 딸을 찾아주시길.
　오늘도 좋은 하루 보내, 엄마!

순종과 해방 사이, 당신의 이야기

between obedience and liberation

your story

＋ 주저앉고 싶을 만큼 힘들었던 날,

'내가 나약한가?'라는 생각을 했던 적이 있나요?

＋ '내가 나약한가?'라는 의심 대신 '나는 지금 힘들만 해.'

라는 말을 자신에게 건넨다면 어떤 변화가 생길까요?

06 내향인이 어때서

『명랑한 은둔자』 캐롤라인 냅

엄마! 초등학생 때 내가 받아왔던 생활통지표 기억나? 엄마는 눈치채지 못했겠지만 나는 통지표를 받을 때마다 긴장해야 했어. 담임 선생님이 통지표에 적었을 내용을 상상하면서 말이야.

'이번 학기에도 내성적이라는 이야기가 적혀있겠지?'

나를 향한 '내성적'이라는 평가가 싫었어. 문제가 있다는 뜻 같았거든.

엄마가 담임 선생님과 상담을 하고 온 뒤 고민하던 모습도 기억나.

"자기주장의 적극성을 키웠으면 좋겠어요."
"큰 목소리로 자기 할 말을 잘하면 좋을 텐데요."

그 후 엄마는 선생님 조언대로 나를 웅변학원에 데려갔었잖아. 시범 보이는 아이를 보고 나는 심장이 튀어나올 뻔했어. 목소리가 어찌나 크던지, 게다가 그걸 내가 해야 한다고 생각하니 머리가 어질어질했어.

애써 바꾼 내 모습으로
세상과 관계 맺을 때

조용하고 조심스러운 나. 세상은 나 같은 사람보다 목소리 크고 대범한 사람을 더 좋아한다는 것을 점점 알게 됐어. 세상에 그럴듯하게 자리매김하려면 나는 고쳐 써야 하는 아이였지.

그렇게 나는 내 몸을 휘감고 있는 조용한 기질을 바꾸어갔어. 학급 반장을 계속 맡았지. 웃음소리가 큰 친구들 사이에 들어가 소속감을 누렸어. 때로는 즐겁고 때로는 어색하게. 내 모습을 바꿀수록 세상이 환영해주는 사람, 중요하다고 여기는 사람이 된 것 같아서 마음이 놓였어. 하지만 안도감 끝에는 어김없이 불안한 마음이 찾아왔지.

진짜 내 모습이 아니라 애써 바꾼 내 모습으로 세상에 받아들여졌다는 사실. 그 사실이 불러온 감정들이었어. 조용하고 조심스러운 있는 그대로의 내 모습은 어디에도 안착할 수 없는 걸까? 나는 도대체 왜 이럴까. 진짜 내 모습은 불만족투성이였어.

가만히 존재하기만 해도 얻을 수 있는

깊은 사랑이 있다는 것

그랬던 내가 불안과 공허를 떨치고 나를 긍정하게 된 건, 생의 전환점이라고 부를 수 있을 만큼 큰 사건을 겪은 덕분이었어. 망망대해의 물살을 가르는 듯한 거대하고 웅장한 전환. 아이가 내 삶에 등장하면서부터 시작됐어. 하준이 말이야.

나는 최선을 다해 노력해야만 귀중한 것을 얻을 수 있다고 생각해왔어. 사랑도, 좋은 사람이라는 인정도 부단히 애써야 얻을 수 있는 것들이라 믿었지. 가만히 존재하기만 해도 사랑받을 수 있다는 사실은 상상해본 적도 없어.

그런데 그게 아니라는 것을 처음으로 알게 됐어. 하준이가 나를 향해 내보이는 신뢰와 사랑 덕분에 말이야. 무엇이 되지 않아도, 애써 바꾸지 않아도 나는 충분히 괜찮은 사람이라는 사실. 존재하기만 해도 얻을 수 있는 깊은 사랑이 있다는 사실. 이것은 내게 아주 강력한 힘이 되어 주었어.

나는 인생의 대부분을 타인의 애정이란 내가 얻어내야 하는 것이라고 생각하며 살았어. 사랑받으려면 시험을 통과하고, 지적 후프를 뛰어넘고, 자신의 가치를 증명해 보여야 한다고 여겼어. 그러니 그저 존재하기만 해도 사랑받을 수 있

다는 사실을, 그것도 깊이 사랑받을 수 있다는 사실을 너를
통해 알게 된 것이 내게는 놀라운 일이야. 그것이 네가 내게
준 선물이란다. 네 존재만큼이나 소중한 선물이란다. -조이
에게 보내는 편지 중

『명랑한 은둔자』 캐롤라인 냅

이 구절을 읽고 또 읽었어. 내 마음과 똑같이 느껴졌거든. 작가 캐롤라인 냅은 쌍둥이 언니가 낳은 조카 조이를 통해 존재하기만 해도 사랑받을 수 있다는 사실을 확인해. 나처럼 말이야.

하준이를 통해 있는 그대로의 나로 존재해도 괜찮다는 단단한 감각을 얻으면서도 이 책을 읽기 전까지는 어딘지 모르게 조금 껄끄러움이 남아있었어. 엄마는 사랑을 주고, 아이는 사랑을 받는 것이 자연스러운 세상에서 '아이가 준 사랑 덕분에 편안해졌어요.'라고 말하는 엄마라니. 연약하고 특이한 엄마가 된 것 같았어. 하지만 이 구절을 읽으면서 편안해졌어. 나 같은 사람이 또 있다는 사실이 큰 힘이 돼주더라구.

내가 가장 사랑하는 작가 캐롤라인 냅은 어쩌면 내 분신이 아닐까 하는 생각이 들 정도로 나와 많은 것이 비슷해. 조용하고 조심스럽고 고독을 좋아하지만 끊임없이 세상과 연결되기를 갈망하는 사람.

『명랑한 은둔자』는 캐롤라인 냅이 생전에 기고했던 단편 에세이들을 모아놓은 책이야. 내향적인 사람이라면 모두 스치듯 느꼈을 법한 감정이 솔직하게 적혀있어. 들여다보지 않고 바빠 흘려보낸 감정들이 고스란히 책에 고여 있더라구. 나만의 감정이라고 생각하고 위태롭게 느꼈던 것들을 활자로 만나니 긴장한 채 서 있던 몸이 쇼파에 푹 기대앉은 듯 편안하게 느껴졌어.

'내향인들 모두 모여라. 여기서 우리 모두 편안해지자.' 소리치고 싶었지.

내 모습 그대로, 내 장단대로

얼마 전에 유튜브에서 박막례 할머니 영상을 본 적 있어. 70대가 넘어 인생의 호황기를 맞은 유쾌한 할머니잖아. 박막례 할머니가 그러더라구. 남의 장단에 맞춰 춤추지 말고, 내 장단에 맞춰 춤추라고 말이야. 그러면 내 박자에 맞추고 싶은 사람들이 나에게 올 거라고.

그 말이 얼마나 통쾌하던지. '있는 그대로의 내 모습으로, 생긴 대로 살 거야!'라는 내 소리에 박막례 할머니가 호응해 주는 것 같았어. 어울리지 않는 장단에 춤을 추며 나를 억지로 바꾸는 것은 이제 그만 할 거야.

얼마 전 독서 모임을 하며 행복했어. 억지로 에너지 넘치게 행동하지 않고 조용한 내 모습 그대로, 내 장단대로 참여했지.
'나는 너무 조용해, 나는 너무 진지해, 나는 너무 차분해.'
나를 향하던 못마땅한 시선을 거둔 채 말이야.

그러자 남의 장단 따라 춤추며 받았던 박수니, 갈채니 하는 것과는 비교할 수도 없는 편안함이 찾아왔어. 조용한 모습 그대로 독서 모임을 마무리하던 그날 건네받은 인사는 지금껏 들었던 인사 중 최고였어.

"다희님, 목소리가 정말 듣기 좋아요. 오디오클립 듣는 것 같아요."

야호. 그 인사 덕분에 나는 더 용기 있게 조용해질 수 있을 것 같아.

추신. 엄마가 이 편지를 읽고 이런 말을 하겠지? '나도 있는 그대로 너를 사랑하는데, 섭섭하네!'라고 말이야. 어렸던 나는 그걸 볼 수 있는 눈이 없었어. 조건 없는 사랑을 주면서도 동시에 세상에 잘 받아들여지기 위한 조건을 가르쳐야만 하는 엄마의 역할이란, 정말 미션 임파서블이네. 아무튼 엄마, 사랑해. 진짜로!

순종과 해방 사이, 당신의 이야기

between obedience and liberation

your story

+ 세상에 잘 받아들여지기 위해 나를 변화시킨 경험이 있나요?

+ 무엇이 되지 않아도, 애써 바꾸지 않아도, 있는 그대로의 내 모습을 깊이 사랑해주는 사람이 있나요? 그 사람에게 전하고 싶은 말이 있나요?

07

다르게 살아보기

『아직도 가야 할 길』 M. 스캇 펙

엄마, 요즘 나는 20대의 나를 떠올리면 지금의 나와는 너무 다른 모습이라 낯설게 느껴져. 말 잘 듣는 모범생이었던 그 시절, 나에게 어떻게 그런 용기가 있었을까? 그때의 나는 불확실과 불안정을 두려워하지 않았던 것 같아.

수능 점수에 맞추어 갔던 공대에서 한 달간 신나게 놀고는 내 길이 아닌 것 같다는 생각에 뒤도 돌아보지도 않고 자퇴서를 내고 재수했던 것. 한숨 섞인 엄마의 걱정을 뒤로하고 아무 준비 없이 혼자 터키로 여행을 떠났던 것, 내 키만큼 큰 배낭을 둘러메고 인도 곳곳을 누비고 다녔던 것, 교사가 된 후 서울에서 부산으로 전출을 올 때 다시 생각해 보라던 주변의 이야기에도 동요하지 않고 부산으로 내려왔던 것. 새로운 변화를 맞이하는 것에 긴장도 없고 두려움도 없었던 그때의 내가 떠올라.

불확실함으로 뛰어드는 것이 삶의 본질이라는 것을, 나를 확장 시켜가는 일이라는 것을 20대의 어린 내가 알고 있었던 걸까? 그게 아니라면 20대라는 나이가 주는 본질적인 불안과 불확실이 나를 용감하게 만들었던 걸까? 불안하고 휘청대는 것이 당연하다고 생각하면 용기가 나는 것처럼 말이야.

늘 가던 장소만 가고,

늘 만나던 사람만 만나고

늘 하던 행동만 하는 나

변화를 두려워하지 않던 그때의 내가 어색하게만 느껴져. 지금의 나는 겁쟁이거든. 매일 반복되는 일상을 단단히 유지하고 있는데, 그 반복이 주는 위안과 안정감이 내게는 아주 편안해. 익숙한 것을 벗어나면 맞이하게 될 낯선 상황이 위험하게 느껴지기도 하구.

위험한 곳은 가지 않아야 한다고, 불확실한 것보다는 확실한 것을 좇아야 한다고, 불안정한 미래에 생을 걸기보다는 보장된 현재를 누리는 것이 현명하다고 세상은 조언하잖아. 하준이를 낳고 기르면서 나는 그 조언들을 더 내 삶으로 당겨왔어. 편안하고 안정된 울타리를 아이 주변에 단단히 둘러주고 싶었거든. 그 안에서 불안 같은 건 모른 채 말간 얼굴로 무럭무럭 자라나길 바랐어.

위험을 감수하지 않고 제자리에 머물며 얻은 안정감이라는 울타리는 일상에서 일어나는 많은 일들을 유능하게 처리할 수 있게 도와줬어. 매일 반복되는 일들에서 새로운 사건이 발생하기란 힘드니까, 익숙한 하루를 내 통제 아래 둘 수 있었던 거야. 통제감이 주는 평온은 아주 달콤했어.

그런데 그 안정감의 추구가 너무 극을 달렸나 봐. 늘 가던 장소만 가고, 늘 만나던 사람만 만나고, 늘 하던 행동만 하는 나. 삶에 변화가 끼어들 여지가 없었어. 아주 작은 변화를 시도하는 것에도 큰 용기가 필요하게 됐으니 말이야. 용기 내지 않아도 그럭저럭 잘 굴러가는 일상에 굳이 변화를 불러오고 싶지 않았지.

 그랬으니 내가 남편 없이 아이만 데리고 한 달간 홀쩍 제주도로 떠나겠다는 결심을 한 것은 대단한 용기가 필요한 일이었어. 결정하기 전까지 틈만 나면 갖가지 두려움에 휩싸였지.

 '30일 동안, 24시간 내내 아이랑 붙어있어야 하는데 힘들지 않겠어?'
 '남편도 없이 혼자 다 감당할 수 있겠어?'
 '삼시 세끼 다 해먹일 수 있을까?'
 '운전도 능숙하지 않은데 익숙하지도 않은 제주도 도로에서 사고라도 나면 어쩌려고?'

 갖가지 걱정스러운 상황이 상상됐지만 두 눈 딱 감고 한 달

살기 숙소의 결제 버튼을 눌렀어.

　내게는 마흔 살이 되어서도 거의 매일 일상사를 다른 방법으로 처리하는 모험을 해볼 수 있는 기회, 즉 성장할 기회가 있었다. (…) 많은 사람들은 이런 거대한 도약을 절대로 택하지 않는다. 그래서 결국 실제로 전혀 성장하지 못하는 것인지도 모른다. 그들은 외양과는 달리 심리적으로는 아직도 부모의 아이로 남아 물려받은 가치에 따라 살고, 주로 부모의 승낙과 반대에 따라 움직이고(부모가 오래전에 사망해 땅에 묻힌 경우에도), 감히 운명을 자기 손안에 쥐어보지 못한다.

　　　　　　　　　　　　『아직도 가야 할 길』 M. 스캇 펙

　독립적이고 씩씩하던 내가 자꾸만 남편에게 의존하게 되는 것도 싹둑 잘라버리고 싶었고, 변화가 무엇을 가져다줄지, 나를 얼마나 확장해줄지 궁금하기도 했어.

　엄마는 내가 제주도로 떠나는 날까지도 의구심을 품으며 별난 딸을 신기하게 바라봤잖아. 엄마 생각엔 일주일 만에 돌아올 것 같다면서 초치는 말을 하고 푸하하 웃으면서 말이야.

걱정을 소화하기까지
필요한 시간은 단 하루

하루하루 단정하게 반복되던 일상을 잠시 뒤로하고 제주도에서 하준이와 둘이 보내는 한 달의 시간은 모든 게 새로웠어. 건조기와 식기세척기 없이, 게다가 남편도 없이 혼자 살림과 육아를 시작하게 된 것이 떠나기 전에는 막막했거든. 그런데 막상 그 하루를 살고 나니 아무렇지 않은 거야. 걱정했던 새로운 환경을 소화하기까지 필요했던 시간은 단 하루였어.

건조기 대신 빨래 건조대를 마당에 펼치고 햇살 아래 옷과 수건을 탁탁 털어 말리는 일은 아침을 시작하는 나만의 의식이 되었어. 수건을 널 때 풍기는 뽀얀 비누 냄새와 내리쬐는 햇살이, 돌담 너머에서 지저귀는 제주 휘파람새의 예쁜 목소리가 생의 감각을 불러일으켰어.

'내가 살아있구나. 나 역시 자연의 한 조각이구나.'

건조기 앞에서는 단 한 번도 느껴보지 못한 신비로운 감각이었지. 떠나오지 않았다면 느끼지 못했을 거야.

게다가 유치원도 가지 않는 아이와 하루 종일, 그것도 삼십일이나 무엇을 하며 보내나 하던 걱정은 '왜 둘이서 보낼 시간이 이렇게 없지?'라는 생각으로 바뀌었어. 제주도에 한 달 살이를 하러 간다는 소식을 전해 들은 친구들, 가족들이 주말을 끼워 줄줄이 놀러 온 덕분에 말이야.

그 시간은 나에게 연결감을 선물해주었어. 제주도로 떠나오지 않고 집에서 지냈더라면 만들지 못했을 친구들과의 긴 여행이 만들어지기도 했고, 오랜만에 결혼 전 아빠, 엄마, 나, 다은이가 지내던 시간으로 돌아간 것 같기도 했으니까. 시어른들이 놀러 온 날엔 호텔 여행으로는 생각할 수 없을 '고사리 꺾기' 체험도 하고, 주말이면 오는 남편을 목 빠지게 기다리기도 하고. 친구들, 가족 한명 한명 모두와 조금 더 단단히 연결되는 기분이었어.

두려워서, 불안정한 게 싫어서 떠나오지 않았더라면 몰랐을 감각들을 하나씩 내 몸에 채워 넣었어. 나는 여전히 사랑하는 사람들과 단단히 연결되어 있다는 것, 숲과 바다가 내 몸에 스며있고 내 안에 생명력이 깃들어 있다는 것, 자유로움, 연결됨, 친밀감, 사랑. 그런 감각들을 온몸으로 생생히 느끼고 왔어.

제주에서의 한 달을 마무리하던 날 아침엔 일기장에 이런 글을 적었어.

'한 달간 넘치게 행복했다. 경계 없이 자유로웠다. 나는 이곳에서 연둣빛 숲에, 넓고 투명한 바다에 스며들었고, 사랑하는 사람들과 손을 맞잡았다. 나는 연결되어 있다. 자연과 사람에게.'

변화가 항상 좋은 것만을 가져다주지는 않겠지만 한 가지

확실한 것은 나를 확장 시켜준다는 거야. 단정한 반복 속에서는 결코 맞이할 수 없는 울퉁불퉁한 확장. 그것이 삶의 정수를 맛보는 것이 아닌가 하는 생각이 들어.

'용기란 두려움이 없는 것이 아니라 그보다 소중한 일이 있다는 것을 아는 것이다.'라는 말처럼, 안정된 삶의 경계를 허무는 것은 용기가 필요한 일이지만 그 끝에는 나의 성장과 내 세계의 확장이라는 소중한 일이 있다는 것을 조금씩 알아가고 있는 중이야.

나는 여전히 안정적인 것과 도전적인 것 사이에서 갈등하는 겁쟁이지만 예전처럼 한자리에 머물러 있지만은 않을 거라는 확신이 들어.
'안정적으로 사는 게 최고야.'라는 조언에 갇혀 삶을 충분히 맛보지 못하는 일은 없도록, 오늘도 아주 조금씩 일상을 다르게 살아보려고 노력 중이야.

그중 하나로 오늘은 한 번도 먹어본 적 없는 아이스크림을 슈퍼에서 골랐어. 너무 사소해서 웃음이 나지만 아주 작은

'다름'들로 일상을 환기시켜 보려구. 오랜만에 평소에는 연락 안 하던 이모한테 전화도 해보고, 안 가본 길로 달려도 보면서 일상 속 작은 변주들을 실천해 봐야지. 새 아이스크림 맛 어떤지 이따 전화로 알려줄게. 오늘도 좋은 하루!

순종과 해방 사이, 당신의 이야기

between obedience and liberation

your story

+ 최근 들어 평소에는 하지 않던 행동을 해 본 경험이 있나요?
일상에 작은 변화를 주었던 기억을 떠올려 보세요.

+ 변화가 두려워서 시작하지 못하고 있는 일이 있나요?
용기 내서 그 일을 시작하면 나에게 어떤 좋은 일이 생길까요?

08

화나면 화나는 거지

『천 개의 공감』 김형경

  엄마! 난 얼마 전 엄마, 아빠의 말을 듣고 얼마나 속이 뻥
뚫렸는지 몰라.

  "너무 억누르지 마. 화가 나면 화가 난다고 말하고, 기분 나
쁘면 기분 나쁘다고 말하고."

  화난 감정을 마음껏 표현하지 못하고 화를 삭이고 있는 나
에게 저렇게 말했잖아. 둥글둥글하게 사는 게 미덕이라던
엄마, 아빠가 내게 그런 말을 직접 해주다니. 오래 묵었던 답
답함이 확 씻겨 내려가는 것 같았어.

난 오랫동안 화는 나쁜 것이라고 생각하며 살았어. 살면서 문제를 마주할 때마다 '화내지 마.', '좋게 생각해.'라는 메시지가 온 사방에서 쏟아졌으니까 그럴 만도 하지. 학교에서도, 책에서도, 집에서도 착한 사람이 되어야 한다고 배웠으니까. 어렸을 적 수많은 권선징악의 이야기들을 들으며 생각했지. 인내하고 배려하는 사람은 착한 사람, 화를 표현하고 자기를 챙기는 사람은 나쁜 사람이라고 말이야.

착한 사람이 되기 위해 노력했어. 기분 나쁜 말을 들어도 참았고, 부당한 대접에 화가 나도 이해하려 노력했어. 욕심이 생겨도 상대방을 먼저 생각했고.

그래도 화는 자주 불쑥불쑥 올라왔어. 화를 마음속에 품고 있다는 것만으로도 왠지 별로인 사람이 된 것 같았어. 그때의 나는 화를 자연스러운 감정 중 하나라고 인정해 주지 못했으니까. 때때로 화를 품은 내 모습을 부정적으로 여겼던 거야.

진짜 선한 사람이라면 화를 내지도, 화를 품지도 않을 거라는 비합리적인 신념은 어른이 되어서도 변하지 않았어. 화를 품은 내 모습이 마음에 들지 않았기 때문에, 화가 나면 수시로 내 감정을 정당화 시키고 인정받고 싶어 했지.

"지금 제가 화내도 되는 상황 맞나요?"

타인에게 내 감정이 정당한지 묻고, 검열하고, 인정받으려 했어.

화낼만한 상황이라니. 화가 나면 화가 나는 거지. 왜 자연스럽게 생기는 감정조차 남들에게 허락받아야만 한다고 생각했던 걸까.

그동안 부당한 일을 당해도 항의하지 못한 채 뒤돌아서서 속상해하거나, 자신의 욕망을 접은 채 관대한 사람인 척 양보하거나, 파렴치한 타인의 행위를 말없이 참아넘기지는 않으셨는지요? 그때마다 내면에서는 분노를 참고 있었다는 사실을 이제는 아실 겁니다. 앞으로는 방법을 바꾸어 보세요.

부당한 일 앞에서 정당하게 항의하고, 타인들의 과도한 요구를 당당히 거절하고, 자신의 욕망을 돌보는 일을 최우선으로 삼으시길 바랍니다.

그리하여 궁극적으로 '분노해도 괜찮다.'는 단계에 도달하시기 바랍니다. 화를 내도 사랑이 거두어지지 않고, 분노해도 생존을 위협받지 않으며, 어떠한 경우에도 한 개인으로서 존엄하다는 내면의 자신감을 회복해야 합니다. 바로 그 지점부터 정체되어 있던 생이 앞으로 나아가기 시작하며, 부당한 모욕이나 폭력에 대해 정당하게 대응할 수 있는 힘이 생깁니다. 무엇보다 '좋은 사람'이라는 자기 이미지를 적극적으로 포기해야 합니다.

『천 개의 공감』 김형경

'좋은 사람'이길 적극적으로 포기해야 한다니. 그 문장에서 한참을 머물렀어. 그때 서야 보이더라구. 내가 타인에게 좋은 사람으로 보이기 위해 얼마나 많은 에너지를 쏟고 있었는지 말이야. 정작 나 자신에게는 자연스럽게 생기는 감정조차 허락하지 않는 모순이 기가 막혔어.

천천히 연습을 시작했지. 우선 화라는 감정은 모든 인간의 보편적인 감정이라는 것을 스스로에게 계속 알려주었어. 화가 나서 심장이 펄떡펄떡 뛰면 그런 내 모습을 관찰했지. 화가 났네, 심장이 이렇게나 빨리 뛰네, 손이 떨리네. 그리고 그런 모습을 한 나를 별로라고 여기지 않고 그냥 있는 그대로 바라봤어.

"화내도 되는 상황인가요?"처럼 멍청한 질문은 더 이상 하지 않기로 했어. 화는 그저 감정일 뿐 허락을 구해야 하는 일이 아니니까 말이야. 차분히 화난 나를 인정한 뒤 화나게 한 타인이 있다면 그 사람에게 내 마음을 전달했지.

살면서 화를 표현해본 적이 없었기에 처음에는 얼마나 서툴렀는지 몰라. 목소리는 덜덜 떨리고 곧 울음이 터질 것 같은 표정으로 겨우겨우 말을 했어. 드라마 주인공처럼 능숙하게 화내는 모습이 아니라서 그런 내 모습이 마음에 들지는 않았지만, 그래도 속으로 삭이는 것 보다는 훨씬 멋지다며 스스로를 격려했어.

직장에서 부당한 일을 겪고 온몸이 벌벌 떨리던 날, 예전의 나라면 한마디도 못 한 채 앓아누웠을 텐데, '화'라는 감정과 잘 지내기로 한 뒤로 나는 다른 선택을 했어.

내가 얼마나 부당한 일을 겪었는지 떨리지만 있는 그대로의 사실을 전달했지. 왜 본인 얘기만 하냐고 도리어 화를 내는 상대방에게 "제가 제 얘기를 하지 누구 얘기를 하겠습니까?"라고 대답했어. 그렇게 말하고 나니 얼마나 짜릿하고 통쾌했는지 몰라. 안 그래도 부당하고 억울하고 화나는데, 그런 말조차 못 했다면 나는 당하고만 있는 내 모습을 오랫동안 용서 못 했을 거야.

나는 요즘 부정적인 감정이 밀려올 때, '이런 감정을 가져도 되는 건가?'라고 검열하는 대신 '이 감정을 어떻게 하면 잘 표현할 수 있을까?'라고 바꾸어 질문하곤 해. 이렇게 조금씩 나를 데리고 잘 살아가는 방법들을 익혀나가고 있나 봐.

앞에서 얘기했던 김형경 작가의 『천 개의 공감』은 내가 나 자신과 잘 지낼 수 있도록 많은 도움을 준 책이야. 심리학을 전문적으로 다룬 다른 책들보다 조금 더 편안하게 나를 위로하는 기분이 들더라구. 모난 내 모습을 따뜻한 눈으로 바라볼 수 있게 도와준 책이랄까. 엄마도 좋아할 것 같은데, 다음에 엄마 집에 놀러 갈 때 가져갈게.

추신. 내가 이렇게 화낼 수 있는 용기를 가지게 된 건, 나를 향한 엄마의 거두어지지 않는 사랑 덕분이야. 고마워, 엄마.

순종과 해방 사이, 당신의 이야기

between obedience and liberation

your story

+ 최근 들어 화가 났던 순간이 있나요?

+ 그때 나는 어떻게 행동했나요?

09 착한 여자 대신 속 편한 여자

『남자들은 자꾸 나를 가르치려 든다』 리베카 솔닛

참을 수 없이 분통 터지는 일을 당했어. 엄마! 내가 오늘 무슨 일을 당한 줄 알아? 엄마 앞에서야 못된 성질머리를 감추지 못하고 큰소리 뻥뻥 치는 딸이지만 밖에 나가면 찍소리 못하고 착한 척하는 사람이잖아, 나. 그런데 오늘은 천사 가면 같은 건 다 던져버리고 큰 소리 꽥 치고 싶은 날이었어.

주말 맞이 대청소를 했어. 하준이가 더 이상 갖고 놀지 않는 오래된 장난감들도 처리하는 날이었지. 넓적한 플라스틱에 쇠붙이와 모터가 여기저기 붙어있는 장난감도 처리해야 했는데, 분리수거가 안될 것 같아서 어떻게 처리해야 하는

지 찾아봤어. 이런 장난감은 복합제제라서 일반쓰레기로 배출해야 한다고 하더라구. 그래서 장난감이 들어갈 수 있는 커다란 쓰레기봉투를 샀어. 집에 있는 이런저런 쓰레기들을 모아 함께 넣고 쓰레기봉투를 버리러 내려갔지.

쓰레기 처리장에는 경비아저씨가 계셨어. 키가 크고 건장한 60대 어른이야. 언제나 분주히 재활용품을 정리하고 계시지. 열심을 다하는 경비 아저씨의 노동 현장을 보고 있으면 그냥 지나치기가 힘들어서 "안녕하세요, 감사합니다."라며 인사를 꾸벅하곤 했었어. 아저씨는 늘 심드렁하게 "예~" 대답하시고는 다시 열심히 일하셨지.

뉴스에 종종 등장하는 '경비원에 대한 아파트 입주민의 갑질'에 대한 이야기가 너무 분했던 터라 경비아저씨께는 일부러 더 예의를 차려 행동했었어. 무의식중에 경비아저씨를 사회적 약자로 규정하고 있었는지도 모르지.

그런데 정말 오만한 생각이었어. 약자는 나였으니까. 사회 최말단에 위치한 여성, 여성 중에서도 각종 혐오를 온몸으로 받아내는 '아줌마'였으니까.

　장난감이 함께 들어있는 쓰레기봉투를 버리고 돌아 나가려
는데 경비아저씨가 갑자기 나를 불러 세우는 거야.

"봉투 안에 이거 뭐요?"

"아, 아이 장난감이에요."

"이거이거, 이렇게 봉투에 넣어 놓으면 쓰레기 업체에서 안
가져가는데. 플라스틱에 넣어야지."

"플라스틱에 모터도 붙어있고 쇠붙이도 여기저기 붙어있
어요. 찾아봤더니 재활용이 안 돼서 일부러 큰 봉투 사서 여
기 버렸어요."

"안 됩니다. 안 가져간다고 이거. 꺼내야지. 꺼내소. 꺼내."

　아저씨는 잔뜩 인상을 쓰고 짜증 난 목소리로 쓰레기를 꺼
내라고 했어. 내 이야기를 조금도 듣지 않는 듯한 아저씨 태
도에 기분이 나빠졌지. 당장 꺼내라는 듯 노려보는 눈빛에
위축되기도 했고, 재활용 안 되는 복합제제라는 것을 눈으로
직접 확인시켜드리면 수긍할까 싶어서 꽁꽁 묶은 쓰레기봉

투를 풀기 시작했어. 워낙 입구를 꽉 묶어 둔 터라 잘 풀리지 않는 봉투를 푸느라 애를 먹었지. 그렇게 허리를 숙이고 한참이나 묶은 봉투를 풀고 있는 동안 아저씨는 내 앞에서 감독관처럼 서 있었어. 마침내 봉투를 풀었는데 장난감 위로 커피 찌꺼기, 오물 묻은 휴지, 너무 오래 입어 찢어진 속옷까지 적나라하게 펼쳐졌어. 수치심이 밀려왔지.

팔을 그 쓰레기봉투 속으로 집어넣고 싶지 않았어.

"아저씨, 너무 깊숙이 들어있어서 꺼내기 힘들어요. 이거 재활용 못 하는 거 맞아요. 저희 집 재활용 정말 신경 써서 하는 집이에요. 일부러 이 장난감 버리려고 큰 봉투 사서 넣은 거구요."
"안 된다니까 자꾸 그러네. 꺼내소. 빨리 꺼내."

아저씨는 쓰레기봉투를 발로 툭툭 찼어. 아저씨 발끝에서 위협이 느껴졌어. 꺼내라는 소리가 쩌렁쩌렁 울렸지. 왜 이렇게까지 나를 함부로 대하는 건지 이해할 수 없었어. 화가 났어. 희미한 두려움도 있었고.

짧은 순간 동안 고민했어. 모욕을 참고 넘어갈 것인가, 나를 함부로 대하는 아저씨에게 맞설 것인가. 평생 고분고분한 태도로 사느라 저항 유전자를 사용해본 적도 없던 나는 이 상황이 말도 안 되게 무례하다는 것을 알면서도 그런 고민을 했던 거야.

맞서기로 결심했지. 눈에 불을 켜고, 얼굴에 아저씨만큼의 인상을 팍 썼어.

"아저씨!"

목에 힘을 주고 아저씨를 크게 불렀어. 그때 맞은 편에서 박 서방이 걸어왔어. 그리고 무슨 일이 일어난 줄 알아?

같은 말이지만 다르게 취급되는
여자의 말과 남자의 말

너무 기가 막혀, 엄마. 박 서방은 내가 했던 말을 똑같이 경비아저씨에게 했어. 몇 마디의 이야기가 오갔고 장난감은 꺼내지 않기로 했지. 아저씨의 태도는 나를 대할 때와는 달랐어. 위협적으로 쓰레기봉투를 툭툭 차던 발끝, 핏대 세워 말하던 큰 목소리, 내가 하는 말은 다 튕겨내며 꺼내라는 말만 반복하던 모습. 경비아저씨는 그런 모습을 박 서방에게는 보이지 않았어.

같은 말이었지만 아저씨의 귀는 여자인 내 말은 밀어내고, 건장한 삼십 대 남자인 박 서방의 말은 수용했어. 명백한 차별이고 혐오였지. 내가 너무 힘없는 존재가 된 것 같았어.

그 현장에서 눈에 힘을 주고 큰 소리로 "아저씨!"라고 한 번 소리 내는 거라도 못했더라면 나는 나를 용서할 수 없었을 거야. 고분고분하게 살아오느라 하고 싶은 말 다 삼키고 화병에 걸린 거였으니까. 더 이상 그렇게 살지 않겠다고 몇 번이나 다짐했었으니까 말이야.

그동안 배워온 인내, 침묵, 부드러움이
틀릴 수도 있다는 사실

'여자는 드세면 안 된다. 여자다워야 한다.'라는 말이 마치 사실인 것처럼 공기 중에 떠다니는 세상에서 나는 자라왔잖아. 배운 대로 사는 여자라면 이 순간에 아마 침묵을 택했을 거야. 예전의 나처럼 말이야.

쓰레기봉투를 다시 집으로 가져가거나 최대한 좋은 말로 아저씨에게 상황을 설명하려고 했겠지. 재활용 쓰레기 처리를 열심히 하던 아저씨 모습을 떠올렸을 거야. 책임감 있게 일하고 싶어서 그렇게 행동했을 거라며, 요구하지도 않은 이해를 먼저 나서서 했겠지.

순응과 침묵과 이해. 그것들이 차곡차곡 쌓여 혐오는 브레이크 없이 퍼져나가고, 차별은 일상이 되었던 거야. 침묵하는 여자를 여자답다고 칭송하고, 말하는 여자를 드세다고 깎아내리면서 말이야.

남자들은 자꾸 나를, 그리고 다른 여자들을 가르치려 든다. (…) 이런 현상 때문에 여자들은 나서서 말하기를 주저하고, 용감하게 나서서 말하더라도 경청되지 않는다. 이런 현상은 길거리 성희롱과 마찬가지로 젊은 여자들에게 이 세상은 당신들의 것이 아님을 넌지시 암시함으로써 여자들을 침묵으로 몰아넣는다. 이런 현상 때문에 여자들은 자기불신과 자기절제를 익히게 되는 데 비해 남자들은 근거 없는 과잉 확신을 키운다.

『남자들은 자꾸 나를 가르치려 든다』 리베카 솔닛

리베카 솔닛은 이 책에서 여자들이 처한 공포스럽고 억울한 상황을 신랄하게 고발해. '지성은 가랑이 사이에 있는 것이 아니다.'라고 말하는 작가의 통쾌한 한 방에 짜릿한 전율이 일었어. 내 뒤에 든든하고 센 언니가 버티고 있는 기분이었지.

리베카 솔닛의 책을 읽기 전까지 나는 내가 배운 침묵, 인내, 부드러움이 틀릴 수도 있다는 생각을 하지 못했어. 불편하더라도 견뎌보고, 불쾌하더라도 부드럽게 표현할 줄 아는 것이 품위라고 생각했지. 오늘처럼 기분 상하는 일을 당하면 상대의 의도는 그런 게 아니었을 거라며 내 기분보다 상대방의 입장을 이해하려고 노력하면서. 그게 미덕인 줄 알았어. 여자라서 느끼는 억울함을 더 파고들려고 하지 않았어. '예민하게 굴지 말자.'라고 생각하며 내 마음에서 일어나는 일을 일축했지.

자기불신과 자기절제. 이 두 가지를 옷처럼 몸에 늘 걸치고 다녔던 거야. 화가 나도 '내가 너무 감정적인가? 화낼 일도 아닌 것에 화를 내는 걸까?' 스스로를 의심했어. 기분 나쁜 상황에 처해도 최대한 상대를 이해해보려 노력하며 하고 싶은 말을 삼켰지.

엄마가 내게 입버릇처럼 말하던 말들.

"둥글둥글하게 살아."
"너무 깊이 생각하지 마."
"나쁜 뜻이 있어서 그런 건 아닐 거야."
엄마가 가르쳐준 가치인 이해, 인내, 배려. 그런 것들 덕분

에 나는 어디에서든지 갈등 없이 잘 지내왔어. 착하다는 소
리를 들으면서. 그런데 그게 다야. 그냥 착한 여자.

굿바이, 착한 여자

　그런데 엄마, 착한 여자는 스스로에게는 절대 착해질 수는
없다는 사실 알아? 착한 여자로 사느라 미처 쏟아내지 못한
말과 감정이 곳곳에 남아 스스로를 괴롭히기 때문이야. 술
한잔 따라보라고 하던 선배 교사의 말에 웃으면서 술을 따랐
던 기억, 장난스레 얼굴과 몸매를 평가하던 남자인 친구들에
게 싫은 소리 못하고 함께 웃으며 넘겼던 기억, 자취한다는
내 말에 '자취하는 여자가 최고'라고 기분 나쁜 말을 농담처
럼 건네던 소개팅남에게 일갈하지 못했던 기억. 그런 기억
들은 잘 사라지지 않아. 그걸 참고 있었던 나에 대한 미움도.
착한 여자로 사는 것은 자기를 방치하는 일이었어.

　상대를 불편하게 하지 않느라 스스로를 불편하게 만드는
선택은 이제 더 이상 하지 않을 거야. 둥글게 살지 않고 모나

게 살 거야. 단순하게 생각하며 넘기려 하지 않고, 조목조목 짚어가며 깊이 생각할 거야.

　엄마는 갑자기 달라진 착한 딸을 걱정하겠지만 걱정 마, 엄마. 착한 여자 대신 열렬히 내 편이 되어주는 '속 편한 여자'를 선택했으니까. 착한 여자로 단명하기보다 속 편한 여자로 오래오래 살 거야.

　엄마 속은 요즘 어때? 둥글게 둥글게 깎아내느라 애쓰고 있다면 그냥 우리 함께 모난 여자로 속 편히 오래 살자, 응?

순종과 해방 사이, 당신의 이야기

between obedience and liberation

your story

⁺ 순응해 온 가치에 의문을 품어본 경험이 있나요?

⁺ '여자는 드세면 안 된다.'와 같이 성별 고정관념을 불러일으키고
행동을 위축시키는 말은 또 무엇이 있을까요?
나는 그런 문장으로부터 자유로운가요?

10   인생을 정말 양도하려고요?

『그리스인 조르바』 니코스 카잔차키스

엄마! 얼마 전에 지우 언니를 만났어. 어렸을 때 우상처럼 동경하던 지우 언니 말이야.

언니는 완벽했어. 좋은 직업, 높은 연봉, 고급 아파트, 취미는 골프와 필라테스, 영어 유치원 졸업 후 사립초에 다니며 언니처럼 똑 부러지게 공부하는 딸, 전문직 남편, 몸에 밴 다정함. 그런데 이상하게도 언니와 몇 시간 동안 대화를 나누고 집으로 돌아왔을 때 마음에 씁쓸함이 남았어.

아주 어렸을 때부터 내 눈에는 언니의 모든 것이 멋있어 보였거든. 언니는 언제나 어린 나에게 새로운 자극을 주는 멋진 존재였지. 나에게는 우상 같던 언니와 재회했고, 언니는 여전히 멋진 모습이었는데 난 왜 언니를 보며 공허한 마음이 계속 밀려왔을까? 세상이 찬사를 보내는 화려한 모습을 한 언니의 삶이 나에게는 왜 더 이상 멋진 자극으로 다가오지 않았을까?

한참을 생각했어. 유쾌하고 기분 좋은 만남 뒤 언니를 향해 내가 느낀 감정에 대해서 말이야.

똑같은 모양을 향해 흘러가는 삶

언니의 삶은 어디선가 본 듯한 삶이었어. 내 주변의 A와도 비슷하고 B와도 비슷한 삶. 전형성에서 빗겨나지 않은 모습. 사람들은 비슷한 옷을 입고, 비슷한 취미를 갖고, 비슷한 교육을 자녀에게 시키고, 비슷하게 꾸민 집에서 살아가잖아. 다수의 흐름에 몸을 맡기는 것이 쉬운 선택이니까 말이야. 대열에서 이탈하지 않았다는 안도감도 주고.

다수가 만들어 낸 거대한 물결 속에 마치 단 하나의 정답이라도 존재하는 듯 똑같은 모양을 향해 흘러가는 삶. 난 그런 삶이 조금씩 불편해져 갔어. 다수를 따라 흘러가는 삶은 내 것이 아니라는 생각이 들기 시작했거든.

언니는 다수의 물결쯤은 가뿐히 무시하면서 살 거라고 생각했어. 언니다운 빛깔로 일상을 채우고 있을 거라고, 내 멋대로 언니의 삶을 상상하고 기대한 거지. 언니는 내 우상이었으니까. 그런데 잔뜩 부풀어 오른 기대감에 구멍이 나자 혼자 시무룩해진 거야.

'나도 했다!'라고 인증하듯이 사는 삶은 온전히 내 것이 될 수 없다는 생각이 들어.

지루하게만 느껴지는 골프를 남들 다 하니 따라 하고, 아이에게 어떤 도움이 되는지 확신은 없지만, 남들 다 시키니 안 시킬 수 없어 특정 학원에 보내고, 다른 옷과 큰 차이가 없어 보이지만 다들 하나씩 있으니 큰돈을 들여 유행하는 브랜드의 패딩을 사는 것.

나의 삶인지 남의 삶인지 경계가 모호한 하루하루 속에서 '나도 했다!'라는 인증이 주는 위안은 찰나 같다고 생각해. 그 후론 채울 수 없는 공허함이 밀려오잖아.

난 그 공허함을 너무 잘 알아. 나 역시 불과 몇 년 전까지만 해도 다수의 물결에 몸을 푹 담그고 떠내려가던 사람 중 한 명이었으니까. 열심히, 성실하게 하루를 보내지만 막상 스스로 힘들여 생각한 것은 하나도 없었어. 깊은 사유도 없고, 나다운 취향도 없고, 나를 향한 고민도 없이 다수가 정답이라고 여기는 곳을 향해 묵묵히 걸어갔지. 걷다 보면 뭔가 채워질 줄 알았지만 갈수록 텅 빈 느낌만 들었어. 또렷하게 존재하지 않고 점점 옅어지는 기분이었지.

내 눈으로 세상을 보고, 내 머리로 사유하는
조르바의 순간

그때 나를 구해준 것이 읽고 쓰는 행위였어. 읽을수록, 쓸수록 희미했던 내가 선명해지는 것 같았어. 내 눈으로 세상을 보기 시작했고, 내 머리로 사유하기 시작했어. 내 시야에서 '다른 사람들은 어떻게 할까?'라는 문장이 보이지 않도록 저 멀리 치워버렸지. 잘살고 있다는 생의 감각이 내 몸에 천천히 스며들었어.

네, 저는 아무것도 믿지 않아요. 오직 조르바만 믿어요. 조르바가 다른 사람들보다 나은 사람이라서가 아니에요. 절대로 정말로 더 낫지 않죠! 그놈도 짐승이에요. 하지만 내가 조르바를 믿는 까닭은 내가 조정할 수 있는 유일한 놈이기 때문이죠. 나는 오직 그놈만을 잘 알 뿐, 다른 것들은 모두 헛것들이에요. 조르바의 눈으로 세상을 보고, 조르바의 귀로 듣고, 조르바의 위장으로 소화하죠.

『그리스인 조르바』 니코스 카잔차키스

『그리스인 조르바』의 이 구절을 읽을 때마다 감탄이 흘러나와. 조르바가 말하지. 조르바의 눈으로 세상을 보고, 조르바의 귀로 듣고, 조르바의 위장으로 소화한다고 말이야. 누군가에게 어떻게 보일지 고민하기보다, 다른 사람들은 무슨 말을 하는지에 귀를 기울이기보다, 내 눈과 귀와 위장으로 나에게 집중하며 삶을 온전히 자기 것으로 만드는 조르바를 보면서 가슴이 뜨거워졌어. 내게 '살아있다'라는 동사를 온 삶으로 보여준 사람이 조르바야.

다수의 굴레를 여전히 성실하게 걸어가고 있는 많은 사람들이 조르바의 순간을 조금이라도 느낄 수 있기를 바라. 그렇게 조금씩 그곳에서 밖으로 걸어 나와 자기 눈으로 세상을 바라보는 사람이 많아진다면 '다수'라는 건 희미하게 사라져가겠지? 그러면 조금은 가볍게 살아갈 수 있을 것 같아. 다수에서 이탈하지 않기 위해 쏟는 에너지를 나에게 쏟으면 되니까.

'나를 양도해 드립니다.'
'내 시간을 어디에, 어떻게 써야 할지 결정해주세요.'
'내가 무엇을 살지 골라주세요.'

다수의 결정을 신뢰하는 마음, 고분고분하게 기다리는 마음에 자리 잡은 연약한 생각들. 이런 생각들을 싹둑싹둑 잘라버리고, 내 삶만큼은 절대 양도할 수 없다고 두 주먹에 '살아있음'을 꼭 움켜쥔 지금. 나는 아주 가벼워. 그 무엇도 될 필요 없이 그저 내가 되면 되니까 말이야.

엄마에게 이렇게 편지를 쓰고 났더니 조금 더 내가 된 기분이야. 엄마에게 조잘조잘 편지 쓰는 것만으로도 내가 될 수 있으니 더 자주 편지할게. 그럼 오늘도 좋은 하루!

순종과 해방 사이, 당신의 이야기

between obedience and liberation

your story

+ 큰 고민 없이 유행하는 무엇인가를 좇아 본 경험이 있나요?

+ 최근 들어 오로지 나의 사고,

　나의 감각을 거쳐 선택한 일은 무엇인가요?

11   목주름을 보며

『싯다르타』 헤르만 헤세

엄마, 며칠 전 가람이랑 오랜만에 만나 밤늦도록 수다를 떨었어. 너무 신나고 재밌는 나머지 가게 점원이 문 닫을 시간이라고 말하자 완전 울상이 돼버렸지. 친구들과 어울려 놀며 시간 가는 줄 모르고 밤을 보내던 날들이 당연했던 20대 시절이 까마득히 멀게만 느껴져. 요즘은 밤 냄새를 킁킁 맡으며 밤거리를 걷고 있으면 다른 세계에 온 것 같은 기분이 드니까 말이야.

그날은 얼굴이 발갛게 물들 때까지 술잔을 기울이면서 온갖 이야기를 주고받았어. 가람이가 술에 취하면 늘 하는 말이 있거든.

"다희야, 넌 20대의 네가 좋아, 아니면 30대의 네가 좋아? 난 30대인 지금의 내가 너무 좋아. 그땐 너무 불안했고, 불안정했고, 힘들었으니까. 난 지금이 너무 좋아."

수십 번도 넘게 나에게 건넸던 말을 그날도 어김없이 하더라구. 난 그러면 마치 처음 듣는다는 듯 그 얘기를 조잘조잘 이어가는 가람이를 바라봐. 지금이 너무 좋다는 그 말을 할때마다 걘 정말 편안하고 행복해 보이거든. 그 표정을 보는 게 좋아서 '너 술만 마시면 그 이야기하는 거 알고 있냐.'는 구박 대신 가만히 얘기를 듣고 있지.

나이 들어가는 내 모습을 사랑하게 된 것은

나도 그래, 엄마. 20대의 나보다 30대의 내가 더 좋아. 그리고 아마 나이가 들어갈수록 40대의 나를, 50대의 나를, 60대의 나를 점점 더 좋아하게 될 거야. 물론 나이가 들수록 불완전했던 것이 메워질 거라는 기대나 흔들리던 것이 더 이상 흔들리지 않게 될 거라는 기대는 하지 않아.

나이가 들어도 여전히 나는 울퉁불퉁한 굴곡을 가진 불완전한 인간이겠지. 살다가 찾아오는 낯선 고난을 건너가느라 힘겨울 때도 있을 테고 말이야. 다만 나이가 들수록 요령 같은 게 생겨나는 것 같아. 나를 잘 다루는 요령이라고 해야 할까.

오랜 세월 동안 스스로를 보듬으며 살아온 경험은 '나'라는 존재에 대해 더 많은 것을 이야기해 줄 거라고 생각해.

나에게 필요한 고독의 양이 얼마만큼인지, 내가 기꺼이 받아들일 수 있는 관계의 깊이는 어디까지인지, 어떤 사람과 시간을 보낼 때 충만해지는지, 화가 날 때는 어떻게 해야 하는지, 내가 나를 통해 이루고 싶은 것은 무엇인지. 세월은 그런 것들을 나에게 알려줄 테지. 나에 대해 많이 알게 될수록 더 편안히 살아갈 수 있을 것 같아. 그래서 나는 나이 들어가는 내 모습이 싫지 않아.

목에 생긴 희미한 주름 하나에도 절망감이 휘몰아치던 시절이 있었어. 결코 없어지지 않을 목주름을 발견할 때면 마치 나의 좋은 시절이 다 끝난 것처럼 느껴졌거든. 나를 바라보는 시선을 바깥에 두고 살면 그런 감정을 느낄 수밖에 없더라구. 세상은 젊음을 향해 박수를 보내고, 깊이 파인 주름보다는 매끈하고 탄력 있는 모습에 환호하니까 말이야.

다행히 난 그리 오래 절망하지 않고 편안히 나를 바라볼 수 있게 됐어. 새벽이 주는 고요한 기운 속에서 책을 읽고, 나를 발견하고, 글을 쓰는 시간을 오래오래 쌓아온 덕분이야. 목주름이 하나 더 생겨나고, 얼굴의 붉은 빛 생기가 줄어들고, 더 이상 젊음의 싱그러움을 찬탄하는 시선과 박수를 받지 않더라도 여유롭고 편안한 미소를 내게 보낼 수 있을 것 같아. 보여지는 것 너머에 존재하는 진짜 내 모습과 조우하며, 좋은 나를 꺼내어 살아가는 날들이 기대되니까 말이야.

고요한 은신처를 찾아서

엄마도 언젠가 내게 비슷한 말을 했던 기억이 나.

"다희야, 네가 보기엔 엄마 나이가 어떻게 보일지 모르겠지만, 엄마는 지금이 참 좋다. 편안하고 행복해."

언제나 예쁜 엄마지만, 그 말을 할 땐 더 아름다워 보였어. 현재의 모습을 편안히 받아들이고 누리는 사람의 모습은 그렇게 빛이 나나 봐.

당신의 내면에는 당신이 매 순간마다 그 속에 파고 들어가 편안하게 안주할 수 있는 그런 고요한 은신처가 하나 있어. 나도 당신과 마찬가지야. 그런 은신처를 갖고 있는 사람은 얼마 안 되지. (...) 그러나 얼마 안 되는 숫자이긴 하지만 어떤 사람들은 하늘에 있는 별 같은 존재로서, 고정불변의 궤도를 따라서 걸으며, 어떤 바람도 그들에게 다다르지는 못하지. 그들은 자기 자신의 내면에 그들 나름의 법칙과 궤도를 지니고 있지.

불안할 때마다, 조급한 마음이 밀려올 때마다 찾아 읽는 책 『싯다르타』의 한 구절이야. 나이가 들어간다는 것은 '편안하게 안주할 수 있는 고요한 은신처'를 찾아가는 과정이 아닐까 하는 생각이 들었어. 어떤 바람도 닿을 수 없는 내면의 은신처에서 잠잠히 모든 것을 받아들일 수 있는 것. 나이가 들어간다는 것을 젊음의 소멸이 아니라 빛나는 은신처에 가까이 다가가는 과정이라고 다시 정의 내리니 아주 근사하게 느껴져.

갑작스럽게 엉엉 울며 전화하는 날에도, 느닷없는 투정을 부리는 날에도 늘 바다처럼 받아주는 엄마는 엄마만의 은신처를 찾은 걸까? 나도 엄마처럼 내면의 은신처를 향해 구불구불 이어진 길을 타박타박 걸어가고 싶어.

오늘의 편지가 고요한 은신처로 향하는 걸음을 조금 가까이 당겨주었길 바라며, 이만 줄일게.

순종과 해방 사이, 당신의 이야기

between obedience and liberation

your story

⁺ 10년 전의 나, 지금의 나,

10년 후의 나 사이에는 어떤 차이가 있을까요?

⁺ 나이가 들어가면서 터득한 '나 사용법'이 있나요?

불안한 나, 슬픈 나, 기쁜 나, 흥분한 나를

잘 다룰 수 있는 요령을 떠올려 보세요.

허락된 세상 너머로

『체공녀 강주룡』 박서련

엄마, 내가 작년에 푹 빠져있던 「스우파」라는 TV프로가 하나 있어. 스트릿 우먼 파이터를 줄여서 '스우파'라고 부르더라구. 우리나라 여성 스트릿 댄서들이 나와 경연을 하는 프로인데, 보고 있으면 얼마나 짜릿하고 통쾌한지 몰라.

예쁘게 살랑살랑, 귀엽게 까딱까딱 추는 춤이 아니라 그야말로 바닥이 흔들리고 주변이 진동할 것만 같은 파워풀한 춤을 추는 여성 댄서들이 나와. 고분고분하게 살아온 나와는 삶의 궤적이 전혀 다를 것만 같은 그들을 보고 있으면 막힌 구멍이 뻥 뚫리는 것 같은 시원함이 느껴져. 춤이라고는 운동회 때 치어댄스 춰본 게 전부인 나지만 스우파를 볼 때만큼은 춤의 세계에 훅 빨려 들어가서 엉덩이를 들썩거리곤 해.

그중 내 마음을 완전히 사로잡은 댄서 한 명이 있는데 아이키라는 댄서야. 짧은 숏컷에 개구쟁이 같은 행동을 하는데 춤은 얼마나 파워풀한지 넋을 놓고 보게 돼. 그 댄서를 열렬히 응원하게 된 건 그녀에 관한 깜짝 놀랄만한 사실을 알게 된 후부터였어. 아이키가 아이 엄마라는 사실, 그것도 초등학생 아이의 엄마라는 사실. 그건 내게 너무 큰 충격이었어.

처음 그 이야기를 들었을 때 깜짝 놀랐고, 곧이어 감탄이 흘러나왔지.

'와, 대단해. 아이 엄마가 저렇게 춤을 춘다고? 세계 대회에 나가서 상을 휩쓸면서?'

내 마음 안에는 아이 엄마에 대한 전형성이 단단히 자리 잡고 있었나 봐. 아이 엄마는 전업주부이거나, 아이 엄마라는 정체성에 어울리는 직업을 가졌을 거라고 당연한 듯 생각했던 걸 보면 말이야.

허락 너머의 세상을
꿈꾸고, 도전하고, 성큼성큼 걸어가고

내가 가진 상상력은 세상이 허락한 곳까지였거든. 아이 엄마가 세계를 누비는 댄서가 될 수 있다는 사실은 허락 너머의 꿈같은 일이었어. 그런데 그 허락 너머의 세상을 꿈꾸고 도전하고 성큼성큼 걸어가는 사람이 내 눈앞에 보이는 거야. 응원하지 않을 수가 없었어.

보편적인 것 너머를 상상하지 못하는 내게 아이키라는 엄마는 혁명 그 자체였어. 아이키를 응원하면서 말했지.
"아이키! 하고 싶은 거 다 해! 다 할 수 있어!"
아이키가 하고 싶은 것들을 거침없이 해나가기를, 용기 없는 내가 꿈도 꾸지 못했던 것들을 아무렇지 않게 척척 해내기를 바랐어. 그렇게 할 때마다 내 앞에 놓인 장벽들이 하나씩 허물어져 갈 것만 같았거든.

아이 엄마는 수더분한 모습으로 아이를 잘 돌보는 것이 여전히 중요한 가치인 세상에서 자기만의 색깔을 감추지 않고 드러내는 아이키를 보고 있으면 짜릿함이 몰려왔어.

아이키가 세상이 정한 경계를 허무는 모습은 꼭 강주룡 같았어. 박서련 작가의 『체공녀 강주룡』이라는 소설 속 주인공인데, 일제강점기에 실존했던 여성 노동자야. 세상은 사람을 길들이려고 하잖아. 정해진 규칙을 지키며 틀에 박힌 모양대로 살아가는 사람들이 많아야 수월하게 굴러가니까 말이야. 그런데 강주룡은 세상에 길들여지지 않았던 여자야. 스스로 삶을 선택하고, 저항하고, 싸우는 여자. 그 시대에 그런 사람이라니 호기심과 동경으로 끌릴 수밖에 없었어.

주룡은 고무공장에서 일하는 노동자야. 매일 노동자에게 어울리는 복장을 하고 공장으로 출근해서 고무 냄새를 온몸에 묻히고 사는 여자지. 주룡의 꿈은 모던걸이 되는 거야. 세련된 양장을 입고 뾰족구두를 신은 채 거리를 활보하는 단

발머리 모던걸. 여직공이 모던걸 사진을 모으며 꿈을 꾸는 것을 사람들은 철없는 허풍으로 여겨. 관리자는 그런 주룡을 모욕하기도 하고.

근로하는 고무 직공은 모단 껄 못 하란 법이 있습데? 내 일 막 시작하였을 적에 우리 반장이 내 머리채 잡구 뚜드려 패면서 그랬습네다. 모단 껄은 학생 아이면 기생이라고. (...) 내 배운 것이라군 에서 배워준 교육밖에 없는 무지렝이지마는 교육 배워놓으니 알겠습데다. 여직공은 하찮구 모단 껄은 귀한 것이 아이라는 것. 다 같은, 사람이라는 것. 고무공이 모단 껄 꿈을 꾸든 말든, 관리자가 그따우로 날 대해서는 아니 되얏다는 것.

『체공녀 강주룡』 박서련

주룡은 세상이 정한 경계를 조금씩 넘으면서 알아가. '너는 너무 이상해, 너는 틀렸어, 네 생각은 위험해.'라는 세상의 소리가 항상 옳은 것만은 아니라는 것을 말이야. 스스로 삶을 만들어 나가던 주룡은 모던걸이라는 작은 소망을 넘어서서 더 큰 꿈을 꾸고 바라는 대로 살기 위해 뜨겁게 타오르지.

　나는 주룡과 정반대의 사람이었잖아. 세상이 정한 것이 정답이라고 생각하며 착실하게 순응해왔으니까 말이야. 의문도, 저항도 없이 허락한 곳까지만 생각하고 행동하는 삶. 이제는 조금씩 그런 내 모습을 허물어 가고 있어. 주룡처럼, 아이키처럼 씩씩한 사람들의 이야기로 나를 채워가며 조금씩 세상이 정한 경계 너머를 기웃거릴 거야.

　지금까지는 세상이 아이 엄마인 나에게 허락한 것까지만을 꿈꾸며 행동했다면, 지금부터는 허락 너머의 세상을 꿈꿀 거야. 아직은 관성대로 사는 것이 익숙해서 경계 너머를 상상하는 것조차 어려워.

　'아이 엄마라는 정체성에 매몰되지 말고 생각해 봐. 내가 원하는 건 뭘까?'

　스스로에게 말을 걸어봐도 떠오르는 건 고작 '남편, 아이 없이 혼자 여행하기' 정도야. 고작이라고 적었지만 실천하기 위해서는 마음에 자리 잡고 있는 수십 개의 허들을 넘어야 하기에 나에게는 이것도 용기가 필요한 일인가 봐. 언젠가 '혼자 여행하기'라는 작은 성공을 거둔다면 더 대담하게 꿈꿀 수 있겠지?

엄마! 내가 경계 너머로 크게 발을 옮기려 하는 순간이 오면 절대 걱정 어린 눈으로 쳐다보지 않겠다고 약속해줄래? 그게 무엇이 됐든 '그래, 한번 가봐!'라는 눈빛으로 나를 믿어주겠다고 말이야. 걱정보다는 믿음이 더 뜨거운 사랑으로 느껴지니까. 그러면 난 더 성큼성큼 앞으로 나갈 수 있을 것 같아.

허락받은 세상 너머에는 무엇이 있을지 기분 좋은 상상을 하면서, 오늘 편지는 이만 줄일게.

순종과 해방 사이, 당신의 이야기

————————————————————————

between obedience and liberation

your story

+ '나는 엄마이기 때문에 ~는 할 수 없어.', '나는 여자이기 때문에 ~는 하면 안 돼.'와 같은 생각을 가졌던 경험이 있나요?

+ '허락받은 만큼만 행동하는 삶'은 어떤 색일까요?
'허락 너머를 꿈꾸는 삶'은 어떤 색일까요?

13 　　　　돈 벌지 않는 전업주부의 삶

『아내 가뭄』 애너벨 크랩

엄마, 오늘 점심은 엄마가 준 나물로 비빔밥을 해서 맛있게 먹었어. 덕분에 한 끼 간편하게 해결! 고마워.

엄마도 일하느라, 살림하느라 고단하고 분주할 텐데 내가 전화하면 늘 반찬 뭐 먹고 싶은지부터 물어보잖아. 나도 이제 요리 경력 8년 차라 제법 쓸만하니까 딸네 집 반찬 걱정은 안 하고 살아도 괜찮아. 정말로!

휴직 후 전업주부 모드로 살고 있어서 그런지 요리 실력도 조금씩 느는 것 같아. 워킹맘으로 살 때는 시간에 쫓겨 허덕

거리느라 새로운 음식은 시도해볼 생각조차 하지 않았었거든. 그저 한 끼 건강히 해결할 수 있으면 다행이라는 생각으로 요리했으니까 말이야.

일도, 육아도, 살림도 온 에너지를 다 바쳐서 했지만 그중 아무것도 제대로 굴러가는 것이 없었던 그때를 떠올리면 아직도 숨이 가빠. 그때는 전업주부의 삶이 그렇게 부럽더라구.

돈 벌지 않는 나는
쓸모없는 사람이라는 잔인한 생각

그리고 지금, 휴직 그것도 무급휴직을 한 덕분에 완벽한 전업주부의 삶을 살아보게 됐잖아. 겪어보니 전업주부의 삶역시 결코 쉽지 않다는 생각이 들어. 전업주부는 끊임없이 밀려드는 생각과 쉬지 않고 싸워야만 해. 불시에, 수시로, 찰나처럼 스쳐 지나가는 '내 존재 가치'에 대한 물음이 스스로를 궁지로 몰아세우니까 말이야.

‘돈 벌지 않는 나는 가치 없는 사람인가?’

‘아이를 돌보고 집안일을 하는 나는 직장에 가서 일하는 사람보다 초라한가?’

전업주부를 향한 세상의 공격에 무방비로 노출되어 있기도 했어.

‘너 요즘 집에서 논다며? 부럽다.’

‘집에서 놀면 좋아?’

집에서 놀기만 하는 쓸모없는 사람이라는 잔인한 생각과 싸우는 일이 때로는 너무 힘겨워서 싸우기를 포기해버리기도 했어.

‘그래, 나 집에서 놀아.’

‘돈 한 푼 못 벌고 있는데 내가 이런 걸 하면 안 되지.’

이렇게 말하며 항복해 버리기도 했으니까 말이야.

불시에 찾아오는 생각에게 ‘나도 가치 있는 일을 하고 있어.'라고 외쳐봤자 내 목소리는 자본주의가 바탕이 된 세상에서 너무 미약하게 느껴질 뿐이었어. 일의 가치와 존재의 가치가 돈으로 환산되는 세상에서 전업주부는 스스로를 향한 의심을 계속 품을 수밖에 없더라구.

전업주부의 모든 노동을 돈으로 환산한다면

진정 전업주부는 스스로의 존재 가치에 대해 생각해 봐야 할 만큼 초라한 존재일까? 다시 생각해 보고 싶어졌어. 그래서 전업주부로 살고 있는 나의 하루를 돌이켜봤어.

아침 식사 준비, 아이 등원 준비, 식탁 정리와 설거지, 이불 정리, 청소 및 빨래, 아이 하원 후 간식 준비, 하원 후 돌봄, 저녁 준비, 설거지, 아이 숙제와 학습 봐주기, 아이 책 읽어주기, 재우기. 거기에 더해 일하고 온 남편의 컨디션 살피기, 비정기적으로 일어나는 아이의 정서나 교육과 관련된 이슈 해결하기, 그 외 자잘한 일들. 너무 사소해서 보이지 않지만 누군가는 꼭 해야만 하는 일들.

이런 일들을 하고 있는, 나를 비롯한 이 세상 모든 전업주부가 고작 '노는 사람' 정도로 불리는 게 옳은 건지 세상에 대고 큰소리로 묻고 싶어.

애너벨 크랩이 쓴 책 『아내 가뭄』은 여성뿐 아니라 남성의 답답함까지 해결해주는 속 시원한 사회과학서로 알려져 있어. 덕분에 남녀에게 모두 골고루 읽히고 있는 페미니즘 도서이기도 하구. 이 책에 이런 구절이 있더라구.

가사노동의 가치를 평가할 때 사용한 최초의 방법이자 가장 보편적인 방법은 '대체 모델'이다. 이 방법은 가정주부들이 하는 모든 일을 다른 사람을 고용할 때 들어가는 비용으로 환산한다. (...) 1967년 체이스맨해튼은행은 가정주부가 하는 열두 가지 임무에 근거하여 가정주부의 가치가 연간 8300달러(오늘날 기준으로 하면 6만 달러)라고 확정했다. 보모, 요리사, 가정부, 영양사, 식품 구매사, 접시 닦이, 세탁부, 재봉사, 간호조무사, 정비사, 정원사, 운전기사 등이 가정주부가 하는 일이다.

『아내 가뭄』 애너벨 크랩

내 존재 가치에 자꾸만 의심을 품게 했던 가사 노동과 돌봄 노동이 대체 모델에 의해 돈으로 환산하니 이렇게나 큰 금액이었다니. '와!'하는 해방감이 몰려왔어. 시시때때로 찾아와 나를 괴롭히는 잔인한 생각에 맞설 수 있는 무기가 생긴 기분이었지.

경제학에서는 돈으로 환산되지 않는 노동을 일로 인정해주지 않잖아. 하지만 최근의 연구에서 '재생산자'라는 개념을 중요하게 여기기 시작했대. 재생산자는 자본주의의 두 축인 자본가와 노동자가 생산에 전념할 수 있도록 도와주는 일을 하는 것을 말한다고 하더라구. 여기에는 가사노동, 돌봄노동 등을 행하는 무보수 노동자, 기업의 이윤을 위해 계속 희생되는 자연환경, 계속해서 착취당하는 저개발 국가 등이 포함된다고 해.

재생산자 개념이 사회에 어서 자리 잡았으면 좋겠어. 그래서 전업주부들이 위축되는 마음 없이 스스로의 노동을 긍정하며 살아갈 수 있기를 바라.

우리에게 필요한 것은

각자의 노동을 귀하게 여기는 마음

세상은 당장 바뀌지 않을 테고, 여전히 시시때때로 돈 벌지 않는 삶을 쉽게 평가하겠지만 예전처럼 세상의 물결에 휩쓸려 스스로를 공격하고 의심하는 일은 이제 하지 않으려고 해. 내 노동의 가치를 초라하게 여기거나, 존재의 쓸모에 대해 의심을 품는 생각이 스멀스멀 피어오를 때마다 엄마에게 적은 오늘의 이 편지를 다시 떠올릴 거야.

내 노동 시간을 다시 되짚어보고, 나의 노동이 어떤 가치를 만들어내는지 살펴보면서 사고를 단단히 해야지. 스스로의 존엄을 놓치지 않기 위해 오늘 하루 밥 짓는 일에, 매일 치워도 또 치워야 하는 끝없는 집안일에 정성을 기울이면서 한낱 가사노동과 돌봄노동이 아닌 빛나는 노동으로 하루를 채워 나갈 거야.

경험이 가장 좋은 스승이라고 하더니 정말 그런가 봐. 워킹맘으로 살 때는 몰랐던 전업주부의 고단함과 위태로운 마음을 직접 겪는 지금에서야 알아가고 있어. 전업주부의 마음을 표현하는 이야기들이 세상에 많이 흘러나왔으면 좋겠어. 그래서 서로를 이해하고, 각자의 노동을 귀하게 여기며 날 선 마음들을 마모시켜갈 수 있는 날이 다가오기를 바라.

 오늘 엄마에게 적은 이 편지도 어딘가로 흘러 들어가서 전업주부의 노동을 향한 따뜻한 시선으로 다시 태어날 수 있었으면 좋겠어.

 이제 다 자란 딸들의 엄마이지만 여전히 워킹맘으로 사는 우리 엄마!

 큰딸 집 반찬 걱정은 하지 마시고, 오늘도 귀한 노동 하느라 고생 많았으니 집에 돌아가서 편히 쉬시기를. 날씨 추운데 감기 조심하구, 또 편지할게.

순종과 해방 사이, 당신의 이야기

between obedience and liberation

your story

+ 내 노동의 가치가 돈으로 연결되지 않아 좌절했던 경험이 있나요?

+ 돈을 가져다주지 않는 노동은 가치 없는 노동일까요?
  모든 사람이 돈을 가져다주는 노동에만 종사하면
  어떤 일이 생길까요?

14   '더 많이'는 이제 그만

『삶으로 다시 떠오르기』 에크하르트 톨레

엄마, 며칠 전 기사 하나를 읽었어. 불경기일수록 명품 시장은 활기를 띤다는 내용이었어. 아낄 수 있는 것은 최대한 아끼고, 그렇게 아낀 돈을 모아 명품을 산다고 하더라구.

명품 앞에서 사람들은 왜 닫았던 마음을 활짝 열게 되는 걸까?

10년도 더 된 이야기지만 내가 처음 명품 가방을 샀던 스물다섯 살 때를 떠올려봤어. 설레는 마음으로 명품 매장에 처음 갔던 날, 귀여운 키링이 달린 구찌 쇼퍼백을 냉큼 어깨에 둘러멨지. 전신 거울에 비친 내 모습을 보고 배실배실 웃었던 기억이 나.

갖고 싶던 가방을 마침내 살 수 있게 되었다는 뿌듯함, 기쁨. 더불어 명품 가방을 메니 왠지 더 괜찮은 사람이 된 것 같은 만족감. 여러 감정이 한꺼번에 몰려왔어. 그중 명품을 향한 소비를 가장 강력하게 불러일으키는 것은 '괜찮은 사람이 된 것 같은 만족감'이라고 생각해.

'더 많이'를 향한 욕구
그 속에 숨겨진 진실

소유물과 자신을 동일시 하는 마음.
값비싼 물건을 소유한 나는 '남들보다 더 가치 있는 사람이다.'라는 믿음.

글자로 적고 보면 너무나 비이성적이고 유아적인 생각이지만, 이런 생각에서 완전히 자유로운 사람은 보기 드물잖아.

무엇인가를 '갖는다는 것', 즉 소유의 개념은 에고가 자신에게 견고함과 영속성을 부여해 자신을 돋보이게 하고 특별한 존재가 되기 위해 만든 일종의 허구이다. 그러나 소유를 통해 자신을 발견하는 것은 불가능하기 때문에, 그 깊은 내면에는 또 다른 더 강한 충동이 있다. '더 많이'를 향한 욕구가 그것이며, 우리는 그것을 '욕망'이라고 부를 수 있다.

『삶으로 다시 떠오르기』 에크하르트 톨레

끊임없이 더 소유하고 싶어 하고, 원하는 것을 가진 후에도 만족할 줄 모른 채 피곤한 얼굴로 '더 많이'를 좇는 현대 사회의 모습이 드러난 구절이야. 이 책은 달라이 라마, 틱낫한과 함께 21세기 영적 교사로 불리는 에크하르트 톨레의 책이야. 이 책을 읽고 얼마나 벅찼는지 몰라. 내가 생활 속에서 경험한 사소하지만 신비로운 일들이 책에 정리되어 있는 것을 보니 그렇게 반가울 수가 없더라구.

지금의 나는 명품 가방을 사고 만족스러운 미소를 짓던 10년 전과는 꽤 다른 모습이야. 더 많이 소유하는 것으로 나를 견고하게 만드는 일은 이제 더 이상 하지 않으니까 말이야.

그 대신 달리기와 요가를 하며 내 안에 숨 쉬는 생명을 고스란히 느끼며 살아가. 내 안에 자리한 이 생명의 에너지가 수많은 사람과 연결되어 있다는 사실을 순간순간 알아차리면서 말이지. 소유에서 나를 발견하는 대신 내 안의 진정한 나를 발견하며 살아가려고 매일 노력하고 있어. 덕분에 예전에는 몰랐던 새로운 종류의 충만함을 알아가는 중이야.

하지만 소유와 존재를 동일시 하는 마음은 너무도 많은 사람이 무의식중에 널리 공유하고 있어서 나 역시 때때로 그 물결에 휩쓸려 묘한 기분을 느낄 때도 있어.

며칠 전 하준이의 유치원 공개수업이 있었던 날도 그랬어.

코로나 때문에 그동안은 공개수업이 없었거든. 첫 공개수업이라 궁금한 마음, 설레는 마음으로 유치원에 갔지. 하준이가 잘 앉아서 선생님 말씀에 귀 기울이는 모습만으로도 얼마나 기특했는지 몰라. 수업이 끝나고 아이에게 인사를 한 후 같은 반 엄마들과 함께 주차장으로 내려갔어. 모두 "안녕히 가세요." 미소 지으며 가볍게 인사를 하고 각자 자기 차로 갔지.

그런데 나를 제외한 모두가 번쩍번쩍하고 고급스러운 외제 차에 시동을 거는 거야. 오래되고 평범한 내 차를 타고 집으로 향하는데, 그때 정체를 알 수 없는 묘한 감정이 들었어.

소유와 존재를 동일시 하지 않는 태도로 살아가고 있음에도 아주 잠깐 내 마음에 스쳐 간 미묘한 기분. 어떻게 설명해야 할지 아직도 해답을 찾지 못했어.
'너무 부러워.', '나도 외제 차를 사고 싶어.'와 같은 감정은 분명히 아니었는데 말이야.

에고는 비교를 통해 살아간다. 다른 사람에게 어떻게 보이는가가 스스로를 어떻게 보는가를 결정짓는다. 모두가 대저택에 살고 모두가 부자라면 대저택도 재산도 자신의 자아의식을 강화하는 데 더 이상 도움이 되지 않을 것이다. 그때는 자신의 부를 포기하고 작은 오두막으로 이사해, 자신이 남들보다 '더 많이' 영적이라고 생각하며 남들에게도 그렇게 보이면서 자신의 정체성을 되찾을 수 있다. 남들에게

어떻게 보이는가가 자신은 어떤 사람이며 누구인가를 비춰주는 거울이 된다.

『삶으로 다시 떠오르기』 에크하르트 톨레

나는 다른 사람에게 보여지는 내 모습을 통제하고 싶었나 봐. 소유물이 나를 채워주지 않는다는 사실을 알고 있어서 욕망하지는 않지만 그럼에도 불구하고 다른 사람에게 보이는 내 모습은 세상이 인정하는 방식으로 조금씩 향하고 있었나 봐. 그럴듯하게 보이고 싶은 얄팍한 마음. 에고가 빼꼼히 고개를 들고 그런 마음들을 부추겼나 봐.

지금 이 순간의 나를 온전히 느끼기

에크하르트 톨레는 생각의 흐름에 점령당하지 않기 위해 '깨어있어야 한다.'라고 말해. 현재의 순간에 고요히 존재할 수 있어야 한다고 말이야. 자신이 한 것에 대해 인정을 요구하고, 인정받지 못하면 화가 나거나 마음이 상하는 것, 다른 사람 자체 보다도 그 사람이 자신을 어떻게 보는가를 더 신경 쓰는 것, 주목받기를 바라고 중요한 사람으로 보이기를 원하는 것 등 이러한 행동 패턴을 버리고 버린 후에 무슨 일이 일어나는지 관찰해보라고 했어. 그러면 아주 큰 힘이 나를 통해 세상 속으로 흘러 들어가는 것을 발견할 수 있을 거라고 말이야.

더 많이 가지려고, 더 많이 철학적인 사람이 되려고, 더 많이 영적으로 깨어있으려고 노력하는 대신 지금 이 순간의 나를 온전히 느끼며 살아갈 수 있으면 좋겠어. 지금 엄마에게 보내는 이 편지 역시 '더 잘 쓰고 싶어.'라는 에고가 활개를 치도록 허락하는 대신 잠잠히 내면을 들여다볼 수 있는 시간이기를 바라는데, 그게 참 어렵네. 소유물이나 능력 같은 한 가닥의 미약한 것에 나를 일치시키지 않고 살아가고 싶은데, 아직 어린 나는 갈 길이 멀게만 느껴져.

오늘은 시원한 해방 대신 '순종과 해방'의 사이에서 계속 방황만 하다 편지를 마무리 짓게 되네. 다음에 또 편지할게.

순종과 해방 사이, 당신의 이야기

between obedience and liberation

your story

내가 '더 많이' 갖고 싶어 하는 것은 무엇인가요?

'더 많이' 가졌을 때 나의 기분은 어떨까요?

그 기분을 지속하기 위해서 어떻게 해야 할까요?

내 돈 주고 샀어도

『출판하는 마음』 은유

엄마! 주말여행은 재미있었어? 난 주말 동안 뭐 해 먹을지 고민하다가 오랜만에 고사리 파스타를 해 먹었어. 지난 4월에 제주도에서 직접 꺾어온 그 고사리로 말이야. 잘 말려서 냉동실에 넣어두었더니 필요할 때마다 요긴하게 쓰이네.

신기하게도 고사리 파스타를 만들 때는 아주 조심스러워져. 고사리 한 가닥이라도 흘릴까 봐 천천히 조심조심. 흘린 음식은 쉽게 버리고 음식 만들 때는 설렁설렁 대충대충 하는 내가 고사리 앞에서 이렇게 경건해지는 데는 다 이유가 있어. 엄마가 짐작하다시피 고사리 한 가닥마다 내 정성과 시간이 담뿍 들어가 있기 때문이지.

고사리 한 가닥이

내 손에 도착하기까지

지난 4월 한 달 동안 제주도에 살면서 봄의 기운으로 땅이 들썩이는 소리를 들었어. 바로 고사리가 자라는 소리. 4월이면 제주도는 고사리로 활기를 띤대. 제주 사람들은 틈날 때마다 비닐봉지를 들고 목장갑을 낀 채 들판으로 나간다고 하더라구. 그 얘기를 듣고 가만히 있을 수가 없어서 나도 고사리 탐험에 나섰어.

고사리가 많이 자라는 장소, 일명 고사리 스팟은 며느리에게도 알려주지 않을 만큼 비밀스럽고 성스러운 거라서 스스로 찾아야만 해. 찾는 방법에는 요령과 눈치가 필요하지. 제주도 도로를 쌩쌩 달리다 보면 아무것도 없는 허허벌판 옆 도롯가에 차들이 나란히 줄지어 서 있거든. 그 차들이 바로 고사리를 채집하러 온 사람들의 차일 확률이 높아. 눈 앞에 펼쳐진 그 허허벌판이 고사리 스팟인 거지.

몇 번 허탕을 치긴 했지만 운 좋게도 훌륭한 고사리 스팟을 발견했어. 가만히 서 있는 사람에게는 절대 모습을 보여주지 않는 고사리는 허리를 숙이고 땅과 한껏 가까워질 때만 모습을 드러내. 아무렇게나 핀 잡초들 사이에 곧게 뻗은 고사리를 발견하면 만 원짜리 지폐라도 주운 듯 신이나. 줄기 끝부분을 힘주어 당기면 똑 하고 끊어지며 고사리 한 가닥이 내 손에 들어오지. 활짝 잎을 편 고사리는 억세고 먹을 수 없으니 아기 손처럼 잎을 오므리고 있는 고사리를 찾아야 해.

고사리를 찾아 한 가닥, 한 가닥 모으는 재미가 얼마나 크던지 두 시간이고, 세 시간이고 시간 가는 줄 모른 채 며칠을 고사리와 함께 보냈어. 고사리를 찾기 위해 땅 가까이 허리를 숙일 때 흙냄새와 풀냄새가 그렇게 좋더라구. 매일 디디며 살아가는 땅이지만 이렇게 땅과 가까웠던 적이 있었던가, 생각해 보기도 하고 말이야.

고사리를 한 움큼 손에 쥐고 숙였던 허리를 펼 때 불어오는 한 줄기 바람도 좋고. 고사리 여러 가닥을 모아 마치 꽃

다발처럼 하준이에게 건네면 함박웃음을 짓는 얼굴도 좋고. 고사리 채집하면서 좋은 순간들이 너무 많아서 허리가 아파도, 길게 뻗은 고사리 한 가닥 발견하는 것이 쉽지 않아도 계속하게 되더라구.

그렇게 채집한 고사리를 오랫동안 먹기 위해서는 몇 단계의 작업을 거쳐야 해. 우선 뜨거운 물에 넣어 끓이고, 하루 동안 찬물에 담갔다가 볕 잘 드는 곳에서 말려야 해. 잘 마르도록 넓게 편 신문지나 돗자리에 고사리를 겹치지 않게 펼쳐놓고 시간이 지나면 뒤집어 주고. 바람이 많이 부는 날이나 비 오는 날에 그대로 마당에 두면 열심히 꺾은 고사리들이 다 엉망이 되어버리니 매일 날씨 체크는 필수야.

삼사일 동안 잘 마른 고사리를 모두 모아 지퍼백에 넣어 냉동실에 두면 일 년 치 먹을 고사리가 생긴 셈이지. 이렇게 정성과 시간이 가득 들어간 고사리니 어느 한 가닥 소홀히 대할 수가 없었어. 그 고사리 한 가닥은 무성한 잡초를 헤치고 발견한 한 가닥이고, 몇 단계를 걸쳐 마음 졸이며 볕에 말린 한 가닥이니까 말이야.

'내 돈 주고 산 건데 뭐 어때'

그러다 문득 이런 생각이 들었어.

'왜 나는 다른 재료들을 대할 때는 그러지 못할까? 내 손에 들어온 쌀도, 양파도, 당근도 모두 몇 단계의 과정을 거쳐서 몇 사람의 수고와 땀이 더해져 온 것들일 텐데.'

사실 음식뿐만이 아니라 옷, 아이 장난감, 갖가지 생활용품들을 대하는 내 태도는 모두 같았어. 귀하게 여기지 않는 마음. 식재료가 냉장고에서 상하고 있는 것도 모른 채 지내는 날도 있었고, 음식이 남으면 별생각 없이 버리고, 쓸모가 없어진 물건은 집이 너저분해진다는 이유로 고민 없이 쓰레기통에 넣어 버리기도 했고 말이야.

한 대상이 내 손에 들어오기까지 거쳐온 과정은 보지 못했어. 그 안에 담긴 정성과 시간을 느끼지 못했지. 조금만 마음을 기울이면 다 보이는 것들인데 왜 그렇게 소홀히 아무렇게나 대해 버리는 걸까?

그건 바로, 내 돈을 내고 샀으니 그에 대한 모든 권리를 가졌다는 마음 때문인 것 같아. 돈을 주고 산 것 위에서 군림할 수 있다는 생각. 그러니 상한 야채를 버릴 때도 돈 아깝다는 생각만 들 뿐, 싱싱한 모습으로 내 손에 도착하기 위해 누군가가 쏟아부은 노력은 정말이지 조금도 생각나지 않았어. 내가 고사리를 꺾을 때 쏟은 시간과 정성처럼 시들어버린 야채 역시 누군가의 시간과 정성을 담뿍 담고 있는 대상이었을 텐데 말이야.

'내 돈 주고 산 건데 뭐 어때.'

돈이 가지는 막강한 힘은 한 대상이 지나온 기나긴 과정을 가려버리더라구. 이 생각은 돈에게 무한한 힘을 주는 생각이라서 때로는 아주 위험하게 흘러가기도 하는 것 같아. 내 돈 주고 산 물건 위에 군림하는 것을 넘어서서 내 돈 주고 산 '노동력' 위에 군림하고 싶어 하는 마음까지 생기게 하니까 말이야.

손님 응대 서비스가 만족스럽지 못할 때 가게 점원에게 갑질하는 손님, 직원에게 사적인 일까지 떠맡기는 사장, 아파트 경비원에게 업무 범위 밖의 무리한 요구를 하는 입주민, 청소용역노동자를 하대하는 사람. 일상적으로 일어나는 이런 일들은 돈에게 너무 많은 권위를 부여한 나머지 '돈을 지불한 것에 대해 마땅히 군림할 수 있다.'라는 마음을 가지는 데서 시작되는 것 같아.

우리는 종종 노동력이라는 귀한 가치가 실현되기까지 그 사람이 눈에 보이지 않는 무수한 전투를 치르고 왔을 거라는 사실을 잊고 말아. 타인의 노동을 존중하는 마음보다 돈을 지불한 내 권위가 더 우선이기 때문일 거야.

자본주의 사회의 세포 격인 상품을 우린 거의 모르고 사용한다. 농사짓는 과정을 경험하지 못하고 쌀을 얻어 밥을 먹고, 옷 만드는 사람의 처지와 얼굴을 모르고 옷을 사서 입는다. 결과물만 쏙쏙 취하니까 슬쩍 버리기도 쉽다. 그렇게 편리를 누릴수록 능력은 잃어간다. 물건을 귀히 여기는 능력, 타인의 노동을 존중하는 능력, 관계 속에서 자신을 보는 능력.

『출판하는 마음』 은유

귀하게 여기는 마음

사실 들여다보면 어떤 물건도 쉽게 내 손에 오지 않았고, 어떤 노동력도 쉽게 나에게 도착한 것이 아닐 텐데 말이야. 어떻게 내 손에 왔는지 과정을 생각해 보면 무엇도 함부로 할 수 없을 텐데. 매 순간 많은 일이 일어나는 일상을 살다 보니 자세히 들여다보는 것을 잊게 돼.

시간과 정성을 들여 얻은 제주도 고사리가 내게 너무 소중하듯이 내 주변을 채우고 있는 모든 것 역시 누군가의 시간과 정성으로 만들어진 소중한 것이라는 사실. 그 사실을 떠올리면서 내게 도착한 물건, 내게 오는 사람들을 귀하게 여기기 위해 노력해야겠다는 생각이 들어.

오늘 아침에 먹은 콩나물국이 내 위장을 따뜻하게 덥혀주기까지 거쳐온 시간을 잠깐이라도 생각해 보고, 오늘 내게 웃어주던 유치원 선생님이 일상의 고단함을 뒤로한 채 나를 향해 웃음을 보였다는 사실을 잊지 않을 거야. 생각만으로도 바쁜 마음이 조금은 누그러지는 것 같아.

엄마! 내가 준 고사리는 잘 요리해서 먹고 있는 거지? 먹으면서 제주도 들판 한가운데 허리를 숙이고 고사리를 꺾고 있는 딸의 모습을 떠올려 주기를.

순종과 해방 사이, 당신의 이야기

between obedience and liberation

your story

오늘 내가 돈을 주고 산 것을 떠올려 보세요.

그것은 어떤 과정을 거쳐 나에게 도착했을까요?

16   8년째 초보운전자의 대변신

『시선으로부터,』 정세랑

엄마! 2022년 한 해가 벌써 저물어 가고 있네. 나는 항상 이맘때쯤이면 내가 보내온 1년을 곱씹어 보게 되더라구. 엄마의 2022년은 어땠어? 엄마가 언젠가 그랬었지. 엄마 나이가 되면 올해가 작년 같고, 작년이 올해 같다며 별달리 아픈 곳 없이 잘 살았으면 감사하게 된다고. 큰 변화를 좇기보다는 건강히 살아가는 현재를 온전히 누리는 엄마의 모습이 참 보기 좋아.

난 올해 생각지도 않았던 휴직을 갑작스럽게 하게 되면서 정말 많은 일을 겪었잖아. 머물러 있었다면 부정적인 일들

로 가득했을 1년이었는데, 그러지 않고 좋은 방향으로 내 시
간을 유영한 것 같아.

올해 겪었던 많은 일 중 나를 어마어마하게 확장 시켜준 일
이 하나 있어. 내가 누리는 땅이 넓어지는 경험, 내가 닿을
수 있는 세상이 커지는 경험. 바로 운전이야.

운전 경력 8년째가 되어서야 이런 감각을 알게 되다니 나
도 참 미련하고 겁이 많아. 그치? 예전의 나는 운전대만 잡으
면 마음 한구석 어딘가가 찌그러진 채 위축되어 있었어. 늘
익숙한 길만 오갔지. 출퇴근길, 하준이 등하원길, 엄마네 집
가는 길, 마트 가는 길, 등등. 운전은 내 생활 반경 안의 장소
들을 편하게 갈 수 있도록 도와주는 수단일 뿐 세계의 확장
과는 거리가 멀었어.

낯선 길을 혼자 운전해서 간다고 상상하면 온몸이 얼어붙곤 했어. 도로 한가운데서 사고가 나 우락부락한 아저씨의 삿대질과 욕을 들으며 당황해할 내 모습이 자연스럽게 연상됐거든. 내 무의식 속에서 쌩쌩 달리는 도로의 주인은 남자들이었나 봐. 거칠고 때때로 필요에 의해 난폭한 모습도 꺼내어 쓰는 남자들. 그들의 세계. 그러니 그 세계에 발붙일 용기가 나지 않았지.

덩치도, 깡다구도 없는 내가 그곳에 뛰어들어도 될까? 사고라도 나면 그 과정을 유능하게 처리할 수 있을까? 위협적인 태도로 고함치는 남자 운전자 앞에서 내 할 말을 다 할 수 있을까? 막연한 두려움이 운전대를 잡고 달리고 싶은 마음을 가로막았어.

그러다 결국 큰 용기를 내게 된 것은 하준이와 둘이서 제주도 한 달 살기를 시작하면서부터였어. 내가 운전하지 않으면 하준이는 아무 곳도 가지 못한 채 집에 콕 박혀있어야 했으니 낯선 길을 운전하는 용기를 낼 수밖에 없었어. 막다른 골목에 이르러서야 용기를 낸 셈이지.

용기를 내기까지 갖가지 설득이 필요했어.

'사고가 나도 보험이 있으니 괜찮아. 보험을 왜 들겠어? 보험회사에서 잘 처리해 줄 거야.'

'두려움은 행동하지 않아서 생기는 거야. 막상 해보면 아무것도 아닐걸?'

뻔뻔하게, 크게 크게

스스로를 열심히 설득한 후 긴장되는 마음으로 운전대를 잡았어. 그리고 육지와 한참 떨어진 연고 없는 섬, 제주도에서 낯선 길을 달리기 시작했지.

시속 80km만 넘어도 벌벌 떨던 나. 8년째 초보운전 스티커를 붙이고 '혹시 실수해도 공격하지 마세요.'라는 메시지를 풀풀 풍기던 나. 낯선 길을 달릴 때면 '지금 당장 차를 세울 수 있다면 얼마나 좋을까?'라고 생각하던 나. 그랬던 나는 하루, 이틀, 일주일, 이 주일 낯선 곳에서 운전 경험을 차곡차곡 쌓으며 날 서 있던 긴장감을 마모시켜갔어. 긴장과 두려움이 있던 자리에 유능감이 생겨났지. 두려움은 행동하지 않을 때 가장 크다는 것을 온몸으로 느꼈어.

'어? 괜찮네? 이렇게 운전해도 아무 일도 일어나지 않잖아? 나 운전 잘하는데?'

눈앞에 보이는 뻥 뚫린 도로를 신나게 달렸어. 액셀을 누를 때마다 쭉 뻗은 도로를 달리는 자유가 느껴졌지. 조수석이 아닌 운전석에서 인생을 즐기라는 말이 괜히 있는 것이 아니더라구. 운전석에 앉아 내 발끝의 힘에 따라 빨라지고 느려지는 풍경, 내가 잡은 핸들의 방향에 따라 펼쳐지는 새로운 풍경을 누리는 순간이 기가 막혔으니까 말이야.

조수석에서 스쳐 가는 풍경을 감상하는 수동적인 존재가 아니라, 내가 가고 싶은 곳으로 용감하게 내달리는 자유로운 주도자로서의 경험은 환상적이었어. 그렇게 운전은 내 발에 날개를 달아주었고 가슴에 자유를 선사했어.

운전에 대한 유능감을 키운 후 내 세상은 수백 배 넓어졌어. 원한다면 어디든 갈 수 있었지. 정해진 좁은 세계에서 살다가 크게 크게 뻗어나간 새로운 세상은 그동안 보지 못했던 것들을 볼 수 있게 해줬어.

여자도 남의 눈치 보지 말고 큰 거 해야 해요. 좁으면 남들 보고 비키라지. 공간을 크게 크게 쓰고 누가 뭐라든 해결하는 건 남들한테 맡겨버려요. 문제 해결이 직업인 사람들이 따로 있잖습니까? 뻔뻔스럽게, 배려해주지 말고 일을 키우세요.

『시선으로부터,』 정세랑

내가 정말 좋아하는 정세랑 작가의 『시선으로부터,』라는 책에서 심시선 여사가 했던 말이야. 겁쟁이 쫄보인 나를 향해 그만 움츠려 있고 뻔뻔해져 보라고 북돋아 주는 것만 같았어. 거기는 내 공간이 아니라고, 지레 겁먹고 두려워하며 허락된 공간에서만 작게 존재하던 나는 조금씩, 누가 뭐라든, 크게 크게 나를 넓혀가는 것을 배워가는 중이야. 문제가 생기면 세상만사 내가 해결해야 할 것처럼 걱정하고 두려워하던 마음을 싹둑 잘라버리고 뻔뻔하게, 크게 크게. 『시선으로부터,』에는 위에 적은 문장뿐만 아니라 수많은 문장들이 등장해 나를 움직이게 했어. 사회가 요구하는 여성성으로부터 자유로워져서 자기 목소리를 갖고 '나다움'을 찾아가는 심시선 여사, 그리고 그녀로부터 뻗어져 나온 여자들의 이야기였지. 그 어떤 페미니즘 메시지보다 더 따뜻하고 경쾌한 이야기를 선물 받은 기분이었어. 무의식에 뿌옇게 끼어있는 두려움을 밝은 빛으로 사라지게 해주더라구.

어른이 된다는 것은
자기만의 두려움을 하나씩 까부수어가는 것

덕분에 올해 여름 미국 여행에서도 벅찬 경험을 할 수 있었어. 눈앞에 보이는 거라곤 광활한 대지밖에 없는 넓은 미국 땅에서 지평선을 향해 쌩쌩 차를 몰던 순간, 영화 속 주인공이 된 것 같은 그때의 감격은 잊을 수가 없어.

낯선 도로는 내 공간이 아니라고 여겼다면, 두렵다고 시도하지 않았더라면 결코 느끼지 못했을 감정이었어. 어른이 되어간다는 것은 자기만의 두려움을 이렇게 하나씩 까부수어가는 것이 아닐까. 그러면서 꽤 멋진 대사를 읊는 거야.

'아무것도 아니네?'라고 말이야.

앞으로도 나는 나를 가로막고 있는 뿌연 두려움들과 하나씩 마주해가면서 '아무것도 아니네?'라고 말하는 순간들을 차곡차곡 쌓아나갈 거야. 점점 커져가는 내 세계가 좋아서 없던 용기가 자꾸만 생겨나.

이런 용기는 그 어떤 아저씨보다도 더 시원하게 운전하는 엄마로부터 뻗어 나온 거겠지? 두려움에 주눅 들지 않고 쭉쭉 뻗어나갈 수 있도록 '화이팅!' 외쳐줘, 엄마! 또 편지할게.

순종과 해방 사이, 당신의 이야기

between obedience and liberation

your story

+ 나는 무엇에 두려움을 느끼나요?

+ 나에게 그 두려움이 없다면 무엇을 할 수 있을까요?

17 굿바이, 완벽주의

『어린 완벽주의자들』 장형주

엄마, 난 오늘도 요가원에 다녀왔어. 수강생 중 제일 못하는 사람인 것 같지만 그래도 아주 신나게 다니고 있어. 요가원에는 거울이 없다는 사실 알아? 필라테스나 헬스를 하러 가면 사방에 전신 거울이 붙어있어서 내 모습을 확인할 수 있잖아. 환한 형광등 불빛 밑에서 어쩐지 부족해 보이는 내 몸을 거울 속에서 발견하고는 운동에 대한 열의를 다지지.

그런데 요가원은 분위기가 달라. 햇볕이 희미하게 들어오도록 베이지색 블라인드가 내려져 있고 노란색 조명이 군데군데 빛을 내고 있어. 몸에 에너지를 불어넣는 신나는 노래 대신 고요함이 공간을 메우고 있구. 문을 열고 요가원으로 들어서면 시공간을 점프해서 내가 사는 세계와는 전혀 다른 곳에 도착한 기분이 들어.

완벽한 상태에 집착하지 마세요

매트를 깔고 가만히 자세를 취하고 있으면 선생님이 들어와. 50대쯤 되어 보이는데 나이만으로도 권위가 느껴져. 짧은 시간이 아니라 아주 긴 세월 동안 요가 수련을 해왔다는 것을 증명하는 것 같아서 그런가 봐. 1시간이나 걸리는 거리에서 일부러 찾아오는 사람도 있으니 집 앞에 이 요가원이 있다는 건 굉장한 행운이야.

수강생들 가운데 수련 기간이 상대적으로 짧은 나는 동작 하나하나 하는 것에 애를 먹곤 해. 힘든 동작을 따라 하려고 애쓰다 보면 어김없이 어깨에 긴장이 들어가거나 허리가 휙 꺾이기 일쑤야. 선생님은 그럴 때마다 내게 필요한 말을 무심히 건네곤 해.

"완벽한 상태에 너무 집착하지 마세요."

"몸이 준비되면 모든 건 저절로 따라올 거예요."

나는 그 말을 마음속으로 몇 번이고 재생하면서 지금 내 몸이 할 수 있는 만큼만 하려고 노력하지. '오늘은 여기까지. 이렇게 반복하다 보면 몸이 천천히 준비되어 언젠가는 조금 더 잘할 수 있을 거야.' 스스로에게 말을 건네면서 말이야.

몇 달째 수련하다 보니 요가원에 거울이 없는 이유를 알겠더라구. 거울에 비춰보며 완벽한 자세까지 도달하기 위해 몸을 끌어당기고 수시로 부족함을 체크하는 대신 마음속에 거울 하나를 들여놓는 거야. 몸이 건네는 소리를 듣고, 한계를 스스로 찾고, 보고, 연습하게 하는 거울. 그래서 요가는 내면의 운동이라고도 하나 봐.

"완벽한 상태에 집착하지 마세요."

완벽주의자인 내가 일상을 살면서 수시로 상기하는 문장이야. 더 잘하고 싶고, 더 완벽하게 해야 한다는 집착에서 벗어나 '몸이 준비되기를' 기다리며 지금 상태에서 할 수 있는 것을 하나씩 해나가고 있어.

완벽주의란 보다 완벽한 상태가 존재한다고 믿는 신념이며, 그 상태에 도달하기 위해 끊임없이 노력하는 삶의 태도다. (...) 완벽주의자는 존재하지 않는 것을 갖고자 한다는 점에서 예정된 실패자다. 불행의 씨앗을 품고 살기 때문에 항상 초조하고, 때때로 우울하다.

『어린 완벽주의자들』 장형주

나는 이 책을 통해 내가 완벽주의자라는 사실을 알았어. 전에는 덜렁대고 물건도 잘 잃어버리는 내가 완벽주의자일 리 없다고 생각하며 살았었거든. 그런데 책에 따르면 완벽주의자는 현재 상태에 만족하지 않고, 완벽한 상태를 향해 끊임없이 노력하는 사람을 말하더라구. 나 같은 애 말이야.

나는 무슨 일을 하든 '잘하는 것'을 기본값에 두고 살았어. 공부는 당연히 잘해야 한다고 생각했고, 잘하고 나면 더 잘하는 상태가 되기 위해 노력했지. 연애나 결혼생활도 잘 굴러가는 것을 당연한 상태라고 여겼고, 삐걱거리는 순간을 받아들이기 힘들어했어.

잘하는 것을 당연하게 여기니 잘하지 못하는 나는 한심했어. 잘하게 되더라도 그건 당연한 일이니 더 잘하는 상태가 되기 위해 노력해야 했고 말이야.

책에서 그랬잖아. '완벽주의자는 예정된 실패자다.'라고. 예정된 실패자의 삶은 너무 불안하고 답답했어. 좀처럼 만족감이 채워지지 않았으니까. 그래서 요즘은 완벽주의에서 벗어나기 위해 조금씩 노력하고 있어. 가끔 내면의 완벽주의자가 불호령을 내리기도 하지만 금세 마음을 회복할 수 있어.

완벽하지 않은 나로 잘 살아가는 방법

내가 하는 노력 중 첫 번째는 '아무렇게나 해놓고도 뻔뻔해지기'야. 내가 쓴 글이 너무 별로라고 느껴져서 의기소침해질 때면 나한테 큰소리를 치지.

"내가 헤르만 헤세도 아닌데 뭐. 제인 오스틴이라도 되고 싶은 거야? 아니면 됐어. 그냥 손이 움직이는 대로 쓰면 돼."

하준이에게 더 좋은 엄마가 되어주지 못한 것 같아서 죄책감에 시달릴 때면 정신을 바짝 차리고 이렇게 중얼거려.

"내가 오은영 선생님도 아닌데 뭐. 늘 좋은 엄마이기만 한 사람은 세상에 없어."

두 번째 노력은 내 상태를 점수로 구체화하는 거야. 책에서 알려준 방법인데 '조작적 정의 내리기'라고 표현하더라구. 거의 마법 같은 효과를 불러일으켜서 자주 써먹고 있어.

이번에도 역시 내가 쓴 글이 엉망이라고 느껴질 때면 지금 내 상태가 몇 점인지 점수를 매겨. 하루 중 글 쓰는 시간이 짧게라도 있었다면 일단 10점 만점에 5점은 준단 말이지. 목표는 베스트셀러 작가가 되어 10점을 받는 게 아니니까 5점을 획득한 것에 마음이 한결 가벼워져. 1점을 더 받는 것쯤은 별로 어렵게 느껴지지도 않고 말이야. 그러고 나면 죽상을 쓰고 있던 얼굴이 갑자기 환하게 피어나. '잘하고 있네.' 스스로에게 격려까지 해주면서 말이야.

2등 했다고 엉엉 울던 중학생 딸을 보며 엄마가 황당해하던 게 기억나. 그렇게 완벽에 집착하던 이상한 애가 이제 이렇게나 멋지게 '못하는 사람'으로 잘 살아가고 있다고 엄마에게 말하고 싶었어. 나를 괴롭히던 그놈의 완벽이라는 채찍질에서 벗어나니 가슴에 시원한 바람이 불어서 살 것 같아. 후우.

엄마! 혹시나 못된 큰딸이 "엄마는 도대체 왜 그래?"라고 투덜대면 이렇게 말해버려.

"내가 신사임당도 아닌데 그럴 수 있지!"

순종과 해방 사이, 당신의 이야기

between obedience and liberation

your story

완벽주의는 '보다 완벽한 상태가 존재한다고 믿는 신념이며,
그 상태에 도달하기 위해 끊임없이 노력하는 삶의 태도'를
말합니다. 나는 완벽주의자인가요?

완벽하지 않은 나로 잘 살아가기 위해 할 수 있는 말은 무엇일까요?
지금 소리 내어 말해보세요.

"내가 OO도 아닌데, 그럴 수 있지!"

18 사랑은 걱정보다 힘이 세다

『자기 앞의 생』에밀 아자르

발령받은 지 1년도 안 된 신규 교사 시절이었어. 아이들이 꾹꾹 눌러쓴 일기장을 하나씩 읽어보며 덩달아 꾹꾹 눌러쓴 궁서체로 잔뜩 답신을 적고 퇴근하던 길이었지. 줄지어 핀 라일락 향기가 좋아서 노래를 흥얼거리며 걷고 있는데 귀여운 목소리가 들리는 거야.

"선생님! 선생니임!"

그 소리에 갑자기 웃음이 났어. 교실에서 늘 듣던 호칭이지만 교실 밖에서 들으니 얼마나 반갑던지. 내가 정말 선생님이 됐구나, 미숙한 존재에서 꽤 그럴듯한 어른으로 자리매김한 것 같아 기분이 좋았어.

능숙하게 아이들을 이끌어 갈 수는 없었지만 열정이 미숙함을 모두 가려주었던 때야. 우리 교실은 언제나 소란한 행복으로 시끄러웠지.

그 아이를 향한 시선에는
늘 조금의 걱정이 따라다녔다

지석이라는 아이가 있었어. 지석이는 깡마른 몸을 휘적휘적 흔들며 교실을 돌아다니곤 했어. 하얀 얼굴에 헤실헤실한 웃음을 달고 말이야. 또래 친구들보다 조금 어린 듯한 행동은 지석이를 더 귀엽게 만들었지. 지석이는 친구들은 모두 학원에 가고 아무도 없는 운동장에 자주 남아 있었어. 혼자 남아 있는 것이 아무렇지 않다는 듯 텅 빈 운동장에서도 지루한 기색이 없었어.

공부에는 관심이 없는 아이였어. 관심 없어 외면한 시간이 쌓이다 보니 학업과는 점점 더 거리가 멀어졌지. 공부도 잘하지 못하고 엉뚱한 행동을 하는 지석이를 친구들은 잘 끼

위주지 않았어. 그럴 때도 아무렇지 않게 교실 여기저기를 돌아다니다 나에게 와서 조잘조잘 자기 얘기를 들려주곤 했어. 한 살 많은 든든한 형아 얘기, 아빠 얘기. 가족끼리 재미있게 놀았던 얘기. 한마디로 수다쟁이였지.

서울에서 부산으로 전출을 결심하고 아이들과 헤어지던 종업식 날, 이상하게도 지석이가 자꾸 마음에 걸렸어.

귀여운 우리 지석이, 잘 지내야 할 텐데. 나쁜 길로 빠지면 안 될 텐데. 살 좀 쪄야 할 텐데. 잘 자라서 제 한 몫 잘 해내며 즐겁게 살아야 할 텐데. 지석이를 향한 시선에 늘 조금의 걱정이 따라다녔어.

부산에 내려오고 난 후에도 가끔 지석이는 불쑥 전화를 걸어왔어. 또랑또랑한 목소리로 "선생님!"하고 나를 부르고는 아무 말도 하지 않았어. 잘 지내고 있냐는 물음에 "네. 그럼 안녕히 계세요. 또 연락드릴게요." 하고는 전화를 끊었지. 1분도 채 안 되는 통화였지만 그렇게 가끔 지석이의 용건 없고 뜬금없는 전화를 받고 나면 웃음이 났어.

지석이의 또랑또랑하던 목소리는 어느새 제법 굵고 거친 소년의 목소리로 변해 갔어.

"선생님, 저 이제 담배 안 피워요!"

요 녀석이 어느새 중학생, 고등학생으로 자라 그사이에 담배를 피우고, 끊고 하던 과정을 단 한 문장으로 정리해서 전하기도 했어.

시간이 흘러서 지석이도 어른이 되었고 용건 없는 전화로 목소리를 들려주는 대신 일 년에 한 번쯤 카톡으로 어른스러운 안부를 묻곤 했어.

'사랑할 사람들'로 마음을 채운 아이

며칠 전 태풍 힌남노 때문에 전국이 떠들썩했었잖아. 특히 부산의 피해가 심각할 거라며 대비를 철저히 하라는 뉴스가 끊이지 않고 들려왔었지. 다행히 우리 집은 큰 피해 없이 지나갔고 안도했어. 그런데 그날 갑자기 지석이에게 연락이 온 거야.

"선생님, 태풍 피해 없으시죠?"

부산 지역의 피해가 심할 거라는 뉴스를 보고 멀리 떨어져 있는 선생님을 떠올리며 연락을 한 거였어. 감동과 함께 거대한 안도감이 밀려왔어.

지석이는 틀림없이 잘살고 있을 거라는 확신. 꽤 괜찮은 일상을 보내며 살아가고 있을 거라는 안도감. 지석이와 헤어지던 날 했던 모든 걱정을 무색하게 해주는 연락이었지.

그 아이는 자기 코앞의 생활에만 연연하며 하루를 겨우 버티듯 살아가고 있는 것이 아니었어. 생활 반경을 훌쩍 뛰어넘은 곳에 있는 과거의 선생님에게 걱정하는 마음을 보낼 여유가 지석이에게는 있었으니까. 무너진 하루를 살아가는 사람에게는 그런 여유가 없잖아. 지석이는 분명 따뜻하고 단단하게 자기의 하루를 꾸려가고 있을 거라는 확신이 들었어.

나는 왜 지석이와 헤어지던 날 그렇게 많은 걱정을 했을까?

겉으로 보여지는 것만 보고 쉽게 판단해버리는 어른이었나 봐. 조금만 더 지석이의 이야기를 곱씹어 보고 그 아이 안에 들어있는 사랑을 볼 줄 아는 어른이었다면 염려의 시선은 거둘 수 있었을 텐데.

지석이가 조잘조잘 들려주던 얘기 속에는 다정한 형과 든든한 아빠가 늘 있었어. 지석이 안에는 오래전부터 가족과 함께 쌓아온 사랑이 가득 들어있었던 거야.

사람은 사랑할 사람 없이는 살 수 없다. (…) 사랑해야 한다.

『자기 앞의 생』 에밀 아자르

오랫동안 내 가슴을 먹먹하게 했던 『자기 앞의 생』에서 주인공 모모가 했던 마지막 말이 떠올랐어. 걱정해야 할 조건은 다 갖춘 아이였지만 마음에 사랑을 품고 있던 모모는 무너지지 않고 잘 살아갔어.

사랑할 사람을 갖고 있던 지석이 역시 당연하다는 듯 잘 자라서 좁은 시야를 가진 나에게 문을 두드리며 '사랑해야 한다.'라는 진실을 전했지. 덕분에 나는 세상이 오랫동안 내게 씌워둔 탁한 안경을 내려놓고 섣부른 걱정으로부터 자유로워졌어.

사랑해야 한다.
사랑해야 한다.
사랑해야 한다.

나의 '사랑할 사람'이 되어준 엄마!
내가 잘 살아갈 수 있는 이유가 되어줘서 고마워.

순종과 해방 사이, 당신의 이야기

between obedience and liberation

your story

+ 나에게는 '사랑할 사람'이 있나요?

+ 지금 내가 걱정하고 있는 사람이 있나요?

  걱정 대신 사랑을 건넨다면

  그 사람에게 어떤 말을 해줄 수 있을까요?

쓸모없는 시간의 쓸모

『숲속의 자본주의자』, 박혜윤

엄마, 오늘은 비가 추적추적 내리네. 비 오는 날이면 떠오르는 기억이 있어. 생생하고 강렬해서 나이가 많이 든 후에도 비가 오면 눈앞에 선연히 그려질 것만 같은 기억.

'에라 모르겠다!' 외친 후 얻게 된 것들

올해 봄, 하준이를 데리고 제주도 한 달살이를 하며 겪었던 어떤 하루에 관한 기억이야. 곧 비가 내릴 것 같은 저녁이었어. 바다에서 진이 빠지도록 놀고 집에 돌아왔는데 또 밖에 나가고 싶어 하는 하준이를 데리고 마을 광장으로 향했어.

광장에는 하루 일정을 마친 꼬마들이 하나, 둘 모여들었어. 꼬마들은 마음의 벽 같은 건 조금도 없다는 듯이 활짝 자기를 열어 보이며 금세 친해졌지. 광장 여기저기를 우르르 쏘다니며 어른들은 이해할 수 없는 자기들만의 대단한 놀이를 하며 깔깔댔어. 그 모습을 멀찍이 서서 지켜보는 것만으로도 웃음이 났지.

비가 한두 방울씩 내리기 시작하자 꼬마들은 하나, 둘 집으로 들어가 비옷을 입고 천하무적이라도 된 듯 등장했어. 꼬마들과 노는 게 너무 재미있었던 하준이는 절대 집에 들어가지 않겠노라 선언했어. 어쩔 수 없이 하준이에게 천하무적 수트인 비옷을 입히고 우산을 들고나왔지.

빗방울은 점점 굵어졌어. 비가 많이 내리기 시작하자 아이들은 좋다고 강아지처럼 폴짝거렸어. 광장을 메운 공기에 어린 웃음소리가 잔뜩 실려있었지. 어휴, 집에 들어가자고 해도 이미 비 오는 날의 짜릿한 즐거움을 맛본 하준이는 엄마의 말소리는 귀에 들리지도 않는 것 같았어.

꼬마들은 비를 피하기 위한 아지트를 만들 거라며 우산을 수집했지. 각자 광장을 둘러싼 자기들의 땅콩집으로 달려가 우산을 하나씩 꺼내오는 걸로도 모자라 내가 쓰고 있는 커다랗고 튼튼한 우산을 빌려달라고 했어. '이걸 내어주면 나는 어떡하라고?' 싶다가 자기들만의 유희를 최대치로 누리는 아이들 앞에서 마음이 스르르 풀리고 말았어.

우산을 내어주고 간신히 머리만 피할 수 있도록 건물 벽에 붙어 섰어. 비가 들이쳤지. 옷은 축축해지고, 아이들은 시간이 지날수록 더 즐거워하고. '언제 집에 가지? 감기 걸리면 어떡하지?' 이런저런 궁리를 하다가 결국 '에라 모르겠다.'라고 생각했어. 가만히 서서 비 오는 날의 풍경을 누려보기로 한 거야.

어스름한 저녁을 밝히는 가로등 아래로 굵은 빗방울들이 떨어지는 게 보였어. 비를 먹은 나무와 풀들이 싱그러움을 뿜어댔고 흙냄새가 번져왔지. 내리는 비에 우산 없이 몸을 맡기고 있자니 이상하게도 미소가 번져왔어. 자연과 내가 깊숙이 연결된 기분. 그날 느낀 감각들은 시간이 지나도 원하기만 하면 언제든지 불러올 수 있을 만큼 내 몸에 생생히 각인되었어.

다 아이들 덕분이었지. 다 큰 어른이 우산 없이 비 오는 날을 온전히 누릴 수 있었던 건 말이야. 물웅덩이를 찾아 첨벙대며 깔깔거리는 모습, 우산으로 아지트를 만들어 웅크리고 앉아 속닥대는 모습. 그 모습을 보고 있자니 비 오는 게 무슨 대수인가, 싶더라구.

쓸모, 합리성, 효율성을 최우선으로 고려하는 어른들은 결코 할 수 없는 것을 아이들은 아무렇지 않게 하잖아. 그때그때 들리는 마음의 소리에 몸을 기꺼이 맡기면서 말이야. 그렇게 했을 때만 얻어지는 펄떡이는 생의 감각들을 하나씩 얻어가면서.

그날의 기억은 합리성만을 좇으며 살던 내게 반대의 세상이 얼마나 무한한 생기로 가득 차 있는지를 알려주었어. 지나치게 기울어진 내 일상의 균형을 되찾는 법을 알게 되었지. 생산적이지 않아도, 효율적이지 않아도 나를 살게 하는 것들, 내 삶에 의미를 불어넣어 주는 것들을 찾아 시간을 채우기 시작했어.

제주살이 하면서도 그랬어. 다시 오지 않을 이 시간을 꼭 알차게 보내고 싶어서 유명 관광지를 열심히 조사하고 준비하던 나는 그날 이후 모든 계획을 없애버렸어. 효율적인 동선, 꼭 가야만 할 것 같은 핫플레이스, 유명한 맛집, 그런 것에 모두 눈을 감았지. 계획은 늘 어그러지기 마련이고, 즐거움은 '즐겁겠노라!' 마음먹고 억지로 만든 순간보다 뜻밖의 상황에서 자주 찾아오곤 했으니까.

알람 없이 오래도록 아이와 살을 맞대고 늦잠을 자다가 집

앞 마당에서 개미 구경도 하고 캠핑 의자에 멍하게 앉아 가만히 햇볕도 쬐었어. 그러다가 심심해지면 바다로 가서 게도 잡고, 운이 좋은 날에는 문어와 군소도 잡았어. 어떤 날은 비를 맞고 쑥쑥 자란 고사리를 꺾으러 들판으로 나가기도 했고. 꽃다발처럼 한가득 모은 고사리를 안고 집으로 와서 고사리 파스타를 해 먹고 다시 뒹구르르 한가한 시간을 누렸어.

한없이 비생산적이고 비효율적이었지만 온전히 내 삶을 맛보는 하루하루였지.

'열심히 사는 것과
의미 있게 사는 것은 다르다.'

있는 힘껏 달리면서도 그 마음에는 희망이 아니라 체념이 자리 잡는다. '다들 이렇게 사는 거야. 어쩔 수 없어.' 이런 이상한 포기 상태에서 탈출하고 싶다면 어떻게 해야 할까? (...) 많은 사람들이 실제로 조금씩 더 빨리 달릴 방법을 찾

는다. 잠을 줄여보고, 점심시간을 쪼개보고, 출퇴근 시간도 활용한다. 그러나 열심히 사는 것과 의미 있게 사는 것은 다르다.

『숲속의 자본주의자』 박혜윤

나도 그랬어. 정말 매사에 '열심히'였어. 어디에서든, 무슨 역할을 맡든 주어진 것에 최선을 다하는 사람. 시간을 효율적으로 쓰고 생산적인 사람이 되어야만 직성이 풀리는 사람. 내게 아무것도 가져다주지 못하는 것들, TV나 유튜브 시청 같은 것은 최고로 한심한 일이라 여겼지. 그 시간을 편하게 누릴 줄 모르고 끈질기게 들러붙는 죄책감과 싸워가며 보냈거든. 비생산적인 시간을 보내는 나를 질타하면서 말이야. 오로지 생산적이고 효율적인 나에게만 '참 잘했어요' 도장을 쾅 찍어주었지.

그랬던 내 삶에 생산성 따위는 안중에도 없이 '지금, 여기'를 온전히 누리며 순간을 흠뻑 즐기는 아이, 우리 하준이가 등장했어. 비효율과 비생산의 한가운데서 생을 음미하는 사람들의 책과 함께 말이야. 덕분에 나는 느리지만 조금씩 열심히 사는 것과 의미 있게 사는 것의 균형점을 더듬더듬 찾아가고 있는 중이야.

『숲속의 자본주의자』를 쓴 박혜윤 작가는 내가 올해 알게 된 작가 중 손에 꼽을 정도로 좋아하는 작가야. 좋은 대학, 좋은 직장에서 유능함을 인정받고 엘리트의 전형적인 코스를 밟아가던 작가는 지금 미국 어느 시골에서 돈을 벌지 않으며 사는 삶을 살고 있어. 집 앞에서 블랙베리를 수확해 먹고, 통밀빵을 직접 만들어 먹으면서 말이야.

'소개만 보면 특이한 사람이네.'라며 넘겼을 수도 있겠지만, 책장을 넘기다 보면 작가가 얼마나 자기 삶을 온전히 누리며 살아가고 있는지가 전해져. 스쳐 가는 한 올의 감정과 생각들을 붙잡아 자신에게 다가가고, 자기의 욕구에 충실히 살아가지. 어떻게 사는 것이 생산적인지, 어떻게 해야 효율적으로 시간을 보낼 수 있을지 같은 고민은 조금도 없었어. 그런 고민 대신 자기를 적극적으로 탐구하고, 원하는 종류의 행복에 대해 고뇌하는 모습이 대부분이었는데, 그 모습이 나에게 얼마나 큰 자극으로 다가왔는지 몰라. 큰 기계 속 작은 부품처럼 사는 것이 아니라 진짜 자기 삶을 살아가는 것처럼 보였거든.

생산적인 노동자가 되라고 말하는 자본주의의 명령에 순종하며 살아왔던 나에게 다르게 사는 삶의 모습을 보여준 책이었어. 더 공부하고, 더 일하고, 더 현명하게 투자해서 경제적 자유를 얻는 것이 행복하게 사는 길이라고 외치는 세상에서 작가는 다른 목소리를 내. 자유롭고 행복하게 산다는 목표는 동일하지만 방법은 다르지. 내 욕망이 무엇인지, 내 소리에 귀를 기울이고, 나에게 다가가는 방법으로 삶을 살아가는 모습을 보여줘. 최선을 다해 '더, 더, 더'만을 좇던 나에게 새로운 길도 있다고 보여준 작가야.

'쓸모없음'의 쓸모에 대해 알아버린 요즘, 예전보다 마음이 훨씬 편안해.

다음 주 주말에는 엄마 집에 놀러 갈게. 엄마 배에 얼굴을 대고 벌러덩 누워 하늘을 볼 거야. 엄마랑 보내는 한량 같은 시간이 나를 가장 살아있게 하니까.

순종과 해방 사이, 당신의 이야기

between obedience and liberation

your story

+ 아무 쓸모 없어 보이는 일이지만 나를 웃게 하는 일이 있나요?

+ 오늘 하루 동안 했던 일들을 떠올려 보고,

  각각의 일들을 '생산적인 것'과 '비생산적인 것'으로 구분해보세요.

20 '돈돈'거리는 세상과 조화롭게 살아가기

『조개줍는 아이들』 로자문드 필처

엄마, 나는 요즘 돈에 대한 생각을 많이 해. 조금 더 정확히 말하면 돈을 많이 벌어야겠다는 생각이지. '더 우월한 사람이 되고 싶어.', '세상의 인정을 받고 싶어.' 하는 생각 때문은 아니야. 소유물이 나를 충만하게 해준다는 생각은 완전히 틀렸다는 것을 알고 있으니까 말이야.

나에게 돈이란

나에게 돈은 존재의 증명이나 권력이 아니라 '자유'를 뜻해.

내가 추구하는 가치를 실현할 자유, 내 모습대로 살아갈 자유, 내가 원하는 것을 배울 자유. 그 모든 자유를 누리기 위해서 필요한 것이 돈이라는 사실을 요즘 들어 절절히 느끼고 있거든.

돈이란 중요한 거예요. 돈으로는 좋은 것을 얻을 수 있기 때문이죠. 좋은 차, 모피 코트, 하와이 여행이나 보석을 말하는 것은 아니에요. 독립, 자유, 품위, 배움, 시간 같이 진짜로 소중한 걸 살 수 있으니까요.

『조개줍는 아이들』 로자문드 필처

정확히 내 마음을 표현한 구절을 찾았어. 돈은 사치나 탐욕이 아니라 진짜로 소중한 것을 살 수 있는 귀한 수단이더라구. 자유, 배움, 시간 같은 것들 말이야. 돈이 없다면 원하지 않는 일들로 하루를 채우고, 내 존엄을 지키지 못한 채 살아야 하기도 하잖아. 그런 생각을 하니 돈을 귀하게 여기고 많이 벌어야겠다는 마음이 생겼어.

사실 나는 그동안 돈에 대해 부정적인 생각을 가지고 있었어. 어렸을 적 엄마, 아빠가 IMF를 지나오면서 '돈돈'거리는 세상과 부딪힐 때마다 힘겨워하는 것을 생생히 봤었잖아. 어린 내 눈에 비친 돈을 좇는 사람들은 다 나쁜 사람 같았어. 하루하루 성실히 살아가는 사람들을 못살게 구는 사람, 자기밖에 모르는 사람이라고 막연히 단정 지었지.

마치 어린 내 생각을 증명이라도 하듯 세상은 천박한 생각을 가지고 있어도 돈이 많은 사람이라면 대접해주었고, 나쁜 짓을 해도 용서해주었어. 돈이 많으면 다른 사람 위에 군림할 수 있는 권력을 부여해주었고 그 상황을 모두가 동의하는 듯 권력 앞에서 침묵했어.

나는 그 모든 것들이 너무 싫었기에 돈을 추구하고 싶지 않았어. 돈보다는 더 가치 있는 것을 향해 나아가고 싶었지. 나를 나답게 해주는 것들 말이야. 자유, 배움, 도전, 희망 같은 것들.

그런데 내가 추구하는 그 가치는 '마음껏 나답게 살기 위해서는 돈이 필요할 텐데? 그 돈은 다 어떻게 마련할 거야?'라는 질문 앞에서 고개를 숙이고 말더라구. 나다운 모습으로 살아가기 위해 배우고 싶은 것을 배우고, 한정된 시간을 자유롭게 사용하기 위해서는 돈이 필요했어. 그걸 자각하고 나니 돈을 번다는 것은 자유를 번다는 것과 같다는 생각에 이르렀어. 내 모습대로 살아갈 수 있는 자유 말이야.

돈에 대해 덧씌워진 부정적 생각들을 걷어내고 있는 그대로 바라보았더니 돈이란 마땅히 소중히 여기고 추구해야 할 대상이더라구. 그동안 돈을 오해하며 나쁜 것, 탐욕스러운 것이라고 여겼던 것은 내가 그려낸 이미지일 뿐이었어. 돈 그 자체는 '나쁘다, 좋다.' 판단 내릴 수 있는 것이 아니었고 오직 돈을 어떻게 사용하느냐에 따라 돈은 좋은 것이 될 수도, 나쁜 것이 될 수도 있었어.

돈을 추구하는 것은 배척해야 할 모습이 아니라는 것을 깨닫고 나니 나를 제한하던 울타리 한 줄이 사라지고 마음에 자유가 찾아왔어. '돈돈'거리는 세상에 맞서면서도 돈에 의지하며 살던 나는, 이제 '돈돈'거리는 세상에서 조화롭게 돈을 추구하며 살 수 있을 것 같아.

당장 어마어마한 돈을 벌 수 있는 것은 아니지만, 돈을 향한 편안한 마음을 얻으니 마음에 날개라도 단 듯 자유로워. 열심히 돈을 좇아 마음껏 소중하고 귀한 것들을 누릴 거야. 마음은 벌써 백만장자야.

순종과 해방 사이, 당신의 이야기

between obedience and liberation

your story

+ 나에게 돈이란 무엇인가요?

+ 돈에 대해 갖고 있던 고정관념이 있나요?

21 그럴 거면 여기서 나가라니요

『사람, 장소, 환대』 김현경

엄마, 며칠 전 '청소년이 부모에게 들었던 말 중 가장 상처받는 말'에 관한 기사를 읽었어. 1위가 '그럴 거면 이 집에서 나가.'라는 말이었는데, 그 어떤 비하나 비교의 말보다 이 말이 아이들에게 더 상처였다는 것에 놀랐어. 집에서 나가라는 말이 아이들에게 가장 큰 상처인 이유가 뭘까 생각해 봤어. 그건 아마 조건 없이 자기 존재를 받아준다고 생각했던 부모로부터 거부당했다는 느낌 때문일 거야.

'그럴 거면 이 집에서 나가.'라는 말은 '이 집에 머물고 싶다면 내가 말하는 조건대로 행동해.'의 다른 말이니까. 조건을 충족하지 못하면 집에 머물 권리를 없애버리겠다는 부모의 말은 아직 한참은 덜 자란 아이들에게 너무 큰 상처였겠다는 생각이 들어.

한 자락의 자리조차
선뜻 내어주지 않는다면

이 기사를 읽고 아이들의 마음을 헤아리고 있자니 작년에 있었던 소동 하나가 떠올랐어. 우리 반 학생 중 한 명과 있었던 일이야. 그 친구는 ADHD를 앓고 있어서 약을 먹으며 학교에 다녔어. 증세가 심한 편이라 약을 먹어도 순조롭게 학교생활을 하기 힘들었지. 작은 소동들이 끊이지 않아서 어르고 달래고 훈육해가며 아슬아슬한 하루를 보내고 있었어. 그러다가 큰일이 벌어지고 말았는데 그때 나는 화가 나서 교직 생활하는 동안 한 번도 하지 않았던 말을 그 아이에게 했어.

"이럴 거면 우리 교실에서 나가."

그때 그 아이는 어떤 마음이었을까. 부모에게 상처받은 아이들과 같은 마음이었겠다는 생각이 들었어. 그러고 몇 달 후 그 아이는 방과 후에 덩그러니 혼자 교실에 남아 서럽게 울면서 나에게 말했어.

"선생님, 저 아빠한테도 못 가게 됐고요. 센터 원장님도 말 안 듣는다고 오지 말래요. 저 오늘 태권도 마치고 어디로 가야 해요?"

아이의 아빠는 아이 키울 여력이 안 돼서 위탁센터에 아이를 몇 년간 부탁해둔 상황이었거든. 다시 심사를 통해 아이를 데려오려고 절차를 밟았는데 구청에서 승인이 나지 않았던 거야. 아빠랑 살 수 있다고 잔뜩 기대하던 아이는 너무 슬퍼했어. 감정이 격해지면서 약도 소용없이 과잉 행동들이 이어졌지. 센터에서의 생활도 너무 격해져서 아이를 돌봐주시던 원장님도 그런 말을 하고 말았던 거야.

"말 안 듣는 아이는 여기 올 수 없어. 다른 센터로 가."

너무 가슴이 아팠어. 아빠의 집으로도, 원래 생활하던 센터로도 갈 수 없는 아이가 느꼈을 위태로운 감정이 꺽꺽 우는 울음소리에 묻어났거든. 이렇게 가슴 아파하는 나 역시 몇 달 전에 '교실에서 나가.'라는 말을 하던 매정한 어른 중 한 명이었고 말이야.

왜 이렇게 그저 한자리 내어주는 것이 쉽지 않은 걸까.

환대란 타자에게 자리를 주는 행위, 혹은 사회 안에 있는 그의 자리를 인정하는 행위이다. 자리를 준다/인정한다는 것은 그 자리에 딸린 권리들을 준다/인정한다는 뜻이다. 또는 권리들을 주장할 권리를 인정한다는 것이다.

『사람, 장소, 환대』 김현경

이 책은 사람은 누구나 환대를 통해 이 사회로 들어오게 되고, 우리는 누군가가 가치 있는 사람인지 따지기 전에 그를 절대적 환대로 맞이해야 한다는 것에 관해 말하고 있어. 한 생명이 태어날 때 살 가치가 있는지 따지지 않듯이, 장소에 머무는 것 역시 그 사람의 가치를 따지지 않아야 한다고 말이야.

처음 이 책을 읽었을 때 세상에서 신음하는 모든 약자의 목소리가 이 책 한 권으로 설명된다는 느낌이 들었어. 이렇게 좋은 책을 만나기란 쉽지 않아서 독서 모임에서 공통 책으로 선정해 함께 읽기도 하고, 요즘도 다시 꺼내 읽어보고 있어.

사람이라면 절대적 환대를 통해 사회의 성원권을 얻어야 하지만 사회는 약자에게 자꾸만 비가시화라는 조건을 걸어. 그런 모습은 내보이지 말라고, 자꾸 나타나서 장소를 더럽히면 장소에 대한 권리를 없애겠노라고 위협하면서 말이야. 끊임없이 '사람'으로 인정받기 위해 투쟁하며 살아야 하는 약자의 삶이 너무 슬펐어.

동양인 혐오, 노키즈존, 아이들에게 어른들이 무심코 하는 무수히 많은 말들 등. 약자를 향한 위협은 모두 한 자락의 자리조차 선뜻 내어주지 않는 '조건부' 환대 때문이라는 생각이 들어.

나 역시 학교에서 만나는 아이들에게 암묵적인 조건을 걸었는지도 몰라. 예의 바르고 규칙을 잘 지키는 학생, 교사를 힘들게 하지 않는 학생들만 환대받는 학교의 현실에 나도 동참하며 서 있었다는 생각에 불편한 감정이 목에 걸려 넘어가지지 않아. 좀 더 멋진 어른이고 싶은데 말이야.

'자기를 위해 나서주는 제삼자가
한 사람이라도 있는 한'

내가 환대받지 못하는 상황은 견딜 수 없어 하면서 타인을 향해서는 자꾸만 조건과 가치를 따지는 비겁한 모습을 나는 과연 떨쳐낼 수 있을까. 확신에 찬 다짐을 하고 싶은데 자꾸만 자신이 없어져.

사회를 이루는 것은 사람들이며, 그들 각자는 타자를 사회적 죽음으로부터 끌어내는 힘을 미약하게나마 가지고 있다. 그리고 자기를 위해 나서주는 제삼자가 한 사람이라도 있는 한, 벌거벗은 생명은 아직 완전히 벌거벗은 게 아니다.
『사람, 장소, 환대』 김현경

매 순간, 모든 이를 조건 없이 환대하는 넉넉한 사람이 되

겠노라는 선언은 하지 못하겠지만, 내게 오는 아이들에게만
큼은 조건을 따지지 않고 장소를 내어주는 사람이 되겠다고
약속해볼게. 아무리 큰 사고를 치더라도 '여기서 나가.'와 같
은 말은 삼키기로 말이야.

순종과 해방 사이, 당신의 이야기

between obedience and liberation

your story

조건을 충족시키는 사람만 환대하는 사회에서 '약자'가 되어 본

경험이 있나요? 환대받지 못할 때의 기분은 어땠나요?

22 이상함을 존중합니다

『내가 틀릴 수도 있습니다』 비욘 나티코 린데블라드

엄마, 오늘은 태풍 때문에 하늘이 우중충해서 기분까지 무겁게 가라앉는 날이야. 일조량에 따라 기분이 정해지는 사람이라니. 매일 행복하게 지내려면 아무래도 캘리포니아 어딘가로 이사를 해야 할 것 같아. 당장은 뾰족한 수가 없으니 엄마한테 편지를 쓰면서 가라앉은 기분 좀 띄워 보는 수밖에.

얼마 전에 교사 게시판에 글이 하나 올라왔어.
'학교 동료 선생님 중 한 분의 복장이 과한 것 같아요. 몸에 붙는 원피스, 허리가 조금 보이는 옷, 앞이 파인 티셔츠. 학

부모 입장에서 생각해 보면 결코 좋아 보이지는 않습니다. 이런 제가 너무 이상한가요?'

글을 읽자마자 미간이 찌푸려졌어. 교사에게 어울리는 복장이 아니라는 생각이 들었거든. 너무 구닥다리 관점인가 잠깐 생각했지만 대수롭지 않게 여기고 하루를 보냈어.

그런데 이상하게도 며칠 동안 문득문득 그 게시글의 내용이 생각나는 거야. 미간을 잔뜩 찌푸리며 '교사답지 않아.'라고 평가하던 내 모습도 함께 말이야. 전형성에 어긋난 옷을 입었다고 이상하게 여기는 내 모습이 너무 낡아 보였거든.

찝찝한 기분을 떨칠 수가 없어서 생각해 봤어. 그런 옷을 입은 교사는 타인의 입에 오르내리고 평가받아야만 하는가에 대해서 말이야.

『내가 틀릴 수도 있습니다』라는 책이 떠올랐어. 이 책의 작가는 20대에 스웨덴 대기업의 요직을 맡고 승승장구하던 엘리트였어. 그랬던 작가가 깨달음을 찾아 숲속에 들어가 승려가 되기로 결심하고 17년간 수행하는 삶을 살아. 그 후 환속해서 수행하는 동안 깨달은 삶의 진실을 세상에 알리고 다니지.

"나티코, 혼돈은 자네를 뒤흔들지 모르지만 질서는 자네를 죽일 수도 있다네."

그렇습니다. 저는 또다시 주먹을 너무 세게 쥐었던 것입니다. 세상이 마땅히 어떤 모습이어야 하는지 다 안다고 상상한 것이지요. 그런데 세상의 모습이 제 생각과 맞지 않자 울컥한 것입니다. '세상이 이렇게 했어야 한다.'는 생각은 늘 저를 작고 어리석고 외롭게 만듭니다.

그런 기분을 잘 안다면, 다음과 같은 손동작을 연습해보길 바랍니다. 먼저 주먹을 세게 쥐었다가 힘을 빼고 활짝 폅니

다. 이 동작을 사전 암시처럼 자주 해보길 바랍니다. (...) 저는 여러분이 손을 조금 덜 세게 쥐고 더 활짝 편 상태로 살 수 있길 바랍니다. 조금 덜 통제하고 더 신뢰하길 바랍니다. 삶을 있는 그대로 더 받아들이길 바랍니다. 그래야 우리 모두에게 훨씬 더 좋은 세상이 되니까요.

『내가 틀릴 수도 있습니다』 비욘 나티코 린데블라드

우리는 모두 세상이, 그리고 타인이 마땅히 어떤 모습이어야 한다는 기준을 갖고 살잖아. 그 기준을 자신에게도 적용하고 말이야. 그런 모습을 작가는 '주먹을 세게 쥐고 살아간다.'라고 표현해. 나 역시 그동안 주먹을 꽉 쥔 채 살아왔어. 세상이 정한 것이 정답이라고 생각하며 착실하게 순응해왔으니까 말이야.

의문도 저항도 없이 그렇게 살아왔더니 답답함이 가슴을 꽉 채워서 나를 집어삼킬 것 같았어. 정답이라고 한 곳에 서 있었지만 평온이나 환희 대신 가슴을 짓누르는 답답함만 계속됐지. 그때의 절망감은 화병으로, 우울증으로 이어졌어. 이 책의 작가가 성취했던 모든 것을 뒤로하고 숲속으로 들어갈 때의 마음이 어땠을지 조금은 알 것 같더라구.

더 이상 답답함에 갇혀 살지 않기 위해 주먹을 슬며시 펴 보려고 노력 중이야. 당장 세상이 정한 정답에 맞서지는 못하더라도 전형성을 깨고 자기 방식대로 살아가는 사람을 향해 '넌 너무 이상해.'라는 낡은 기준을 내세우지는 않겠노라고 생각했어.

세모도, 네모도, 동그라미도
마음껏 자기답게 살 수 있는 세상이기를

그런데 이게 웬걸. 나는 여전히 세상의 기준대로 남을 재단하는 사람이더라구. 교사에게 어울리는 복장을 하지 않았다고 눈살을 찌푸리고, 이상하다고 여기고, 불편하다고 말하는 사람들의 소리에 동조하면서 말이야.

교사에게 요구되는 것은 학생들을 잘 가르치는 것, 학교의 울타리 안에서 안전한 경험을 쌓아갈 수 있도록 돕는 것이잖아. 정갈한 차림새가 교사의 능력을 상징하는 것은 아닌데, 마치 교사에게 요구되는 능력을 갖추지 못한 양 자꾸 함부로 판단하게 돼. 생각이 여기까지 이르니 내 시선이 얼마나 편협한지 알겠더라구. 전형적인 모습과는 다른 것을 받아들이기 힘들어하는 낡은 시선이었어.

사람들은 정규분포곡선의 양극단에 있는 것을 거부하는 경향이 있잖아. 볼록 솟은 가운데 부분에서 벗어나지 않기를, 다수에 속하기를, 너무 튀어서 이상해 보이지 않기를 바라면서 살아가지. 스스로 그곳에 있기를 바라는 것은 물론이고 타인도 그곳에 있기를 바라면서 말이야. 양쪽 끝에 서 있는 사람은 이상한 사람으로 취급하고 편안히 받아들이지 못하는 것 같아. 질서를 위협하는 사람이라고 여기는지도 모르겠어.

누군가가 자기의 기준에서 벗어난 행동을 하더라도 이상한 눈길로 쳐다보지 않는 세상이 되어야 한다는 생각이 들어. 특이하다고, 눈에 거슬린다고 함부로 평가하고 단정 짓는 것은 결국 모두를 숨 막히게 하는 족쇄가 될 테니까 말이야. '정상이다/비정상이다', '된다/안 된다'를 나누는 경계선은 너무 가느다랗고 모호해서 모든 사람이 동의할 수 있는 선을 찾기는 힘들잖아.

반바지는 되고 미니스커트는 안 됩니다.
어깨가 보이는 것은 되고 허리가 보이는 것은 안 됩니다.
운동복으로 입는 레깅스는 되고 몸에 붙는 원피스는 안 됩니다.

이런 기준들은 만들 수도 없고, 있어서도 안 되는 거라는 생각이 들어. 각자 스스로 세운 기준대로 선택하고, 상대의 기준은 힘껏 존중해주는 것. 어렵지만 잘 이루어진다면 혐오도, 긴장도 없이 편안히 살아갈 수 있는 세상이 될 것 같아.

다윈이 종의 기원에서 그랬잖아. 생태계는 수많은 종이 존재해왔고, 지금도 다양한 종이 존재하기 때문에 사라지지 않고 유지될 수 있다고 말이야. 우리가 사는 세상 역시 수많은 사람의 여러 모양을 기꺼이 받아들이고 포용할 수 있을 때 건강하게 유지될 수 있을 거라는 생각이 들어.

엄마! 여전히 나는 정답만 좇던 겁쟁이에서 많이 벗어나지 못했고 정규분포곡선 양극단에 있는 사람을 보면 미간부터 찌푸리지만, 내 태도가 잘못된 것이라는 것을 인지하고 그러지 않으려고 노력하고 있어. 무엇이든 노력하는 것부터가 시작이라고 생각하면서.

그래서 우리 하준이가 사는 세상은 세모도, 네모도, 동그라미도 마음껏 자기답게 살아갈 수 있는 세상이기를, 자기다움을 다른 틀에 구겨 넣으며 찌그러진 채 살지 않아도 괜찮은 세상이기를 바라.

오늘도 꽉 쥔 주먹을 활짝 펴면서 그곳에 차오를 새로운 무엇인가를 기대해야지.
'이상함'을 힘껏 존중하면서 말이야.

순종과 해방 사이, 당신의 이야기

between obedience and liberation

your story

⁺ 보편적이지 않은 행동, 관습에서 벗어난 모습을 보면
  어떤 생각이 드나요?

⁺ 세상이 정한 보편적인 기준에서 벗어난 적이 있나요?
  그때의 기분은 어땠나요?

23   1등이 최고라는 거짓말

『물고기는 존재하지 않는다』 룰루 밀러

엄마, 엄마! 어제는 엄청나게 설레는 일이 있었어. 첫사랑한테 연락이 왔거든! 카카오톡에 메시지가 와있는 걸 보고 얼마나 기뻤는지 몰라.

엄마는 결혼한 딸이 첫사랑이랑 연락을 주고받는다고 생각하니 가슴이 철렁하지? 큰일 날 짓 하지 말라고 당장 전화가 올 것만 같아. 하지만 걱정하지 않아도 돼. 내가 말한 첫사랑은 내 교직 생활에서 만난 첫 아이들을 말한 거니까. 헤헤.

공부는 못하지만요,
나다운 색깔은 뚜렷합니다.

겁도 없고 요령도 없던 막무가내 신규 교사 시절, 그때 만났던 아이들에게 가장 순도 높은 사랑을 줬었어. 사랑은 보이지 않아도 느낄 수 있는 거잖아. 순도 높은 그 사랑을 아이들이 잘 전해 받았나 봐. 철없이 사랑만 넘치는 앳된 담임 선생님을 아이들은 아주 잘 따랐거든. 그때 가르쳤던 아이 중 한 명이 어제 연락이 온 거야.

"선생님, 저 승환이에요. 건강하시죠? 안부 전하고 싶어 연락드렸습니다."

어머나, 보는 순간 '풉'하고 웃음이 터졌어. 매일 하루도 빠지지 않고 혼이 나던 장난꾸러기 녀석이 갑자기 멋있는 척하며 연락이 왔으니까 말이야. 너무 반가웠지.

초등학생 승환이는 장난칠 때마다 잔머리를 기가 막히게 잘 굴려서 웃음을 주곤 했어. 조용히 해야 하는 순간에도 참지 못하고 조잘조잘 떠들어서 내 눈빛 공격을 자주 받았고. 승환이의 전년도 담임 선생님이 '승환이 조용히 시키려면 애 좀 먹을 거다.'라며 미리 겁을 주기까지 했으니 얼마나 말 많은 장난꾸러기였는지 알만하지?

수학을 못해서 수학 평가지에 별표가 수두룩했는데, 반면 책은 정말 좋아했어. 독서 시간이 되면 장난기는 싹 사라지고 책 속으로 훅 빨려 들어가서 몰입 하더라구. 온갖 책을 다 읽더니 나중에는 어른들 사이에서 유행하던 기욤 뮈소의 책까지 읽는 거야. 그것도 아주 흥미롭게 말이야.

그때 나는 우리 반 아이들과 '매일 글쓰기'를 하고 있었어. 한 가지 주제에 대한 자기 생각을 공책에 적어오는 숙제를 내줬었지. 나는 매일 승환이 글을 기다리는 애독자였어. 얘가 쓴 글을 읽고 어떤 날은 울기도 하고, 어떤 날은 힘을 내기도 했어. 특히나 잘 쓴 글은 친구들 앞에서 읽어보게 했지. 읽을 때마다 유독 작은 승환이의 키가 쑤욱 커지는 것처럼 보였어.

까불까불 장난치느라 자주 혼나고, 수학을 못해서 수학 시간마다 풀 죽어 있던 승환이. 그야말로 학교에서 딱히 환영받지 않는, 때때로 골칫덩이로 여기는 아이였지만, 승환이는 자기다운 보석을 꽉 쥐고 있는 아이였어.

졸업을 하고 중학생, 고등학생이 되어서 간간이 소식을 듣곤 했는데, 그때도 역시 승환이는 학교로부터 찬사를 받는 모범생은 아닌 것 같았어. 그러거나 말거나 친구들과 어울려 다니고 이 책, 저 책 읽어가며 지내는 모습이 참 승환이답다고 생각했지.

요즘 뭐 하고 지내냐고 물었더니 구독자가 500명이 넘는 뉴스레터를 발행하고 있다는 거야. 어릴 적 가지고 있던 책과 글쓰기라는 자기만의 보석을 잘 키워나간 것처럼 보여서 너무 기특했어. 그때 승환이가 학교의 찬사를 받는 1등이 되기 위해 책을 멀리하고 수학 점수에 매달렸다면 지금의 승환이 모습은 없었을 거라는 생각도 들구.

측정할 수 없이 아름다운
'나다움'을 찾아서

난 승환이 같은 아이들을 만나면 '학교'라는 공간에 대해 의문을 품게 돼. 학교는 분명 아이들에게 좋은 가치와 지식을 전해주고, 성실과 인내를 익혀가는 유익한 공간이지만, 과연 '개인의 자기다움을 발현할 수 있도록 돕는 곳일까?' 하는 생각이 들거든.

학교는 요구하는 조건을 성실히 따르는 학생들에게만 호의적이잖아. 공부를 잘하는 학생, 학교 규칙에 의문 없이 순종하는 학생들에게 박수를 보내지. 각각의 아이들이 가진 고유하고 특별한 모습에는 큰 관심이 없어.

그래서 난 학교가 내리는 평가가 한 학생의 모든 것이 되지 않았으면 좋겠어. 학교에서 찬사를 받는 학생들만 보석을 갖고 태어난 게 아니니까.

우리가 쓰는 척도들을 불신하는 것이 우리가 인생을 걸고

해야 할 일이라고. 특히 도덕적·정신적 상태에 관한 척도들
을 의심해 봐야 한다. 모든 자(ruler) 뒤에는 지배자(Ruler)
가 있음을 기억하고, 하나의 범주란 잘 봐주면 하나의 대용
물이고 최악일 때는 족쇄임을 기억해야 한다.

『물고기는 존재하지 않는다』 룰루 밀러

내가 의심 없이 당연히 붙들고 살아온 것들로부터 걸어 나올 수 있는 용기를 준 책 『물고기는 존재하지 않는다』의 한 구절이야. 이 책의 말처럼 학교의 자(ruler)로 아이들을 판단하는 것은 어쩌면 아이들의 자기다운 모습을 실현하지 못하도록 막는 족쇄일지도 모른다는 생각이 들어.

학교에서 가르치는 지식을 잘 흡수하는 것, 선생님의 지시에 따라 힘들어도 한 번 더 노력해 보는 것, 침대에서 일어나기 싫어도 매일 아침 학교에 가는 것. 그런 모든 것들이 아이의 삶에 지식, 인내, 성실이라는 단단한 무기가 되어 준다는 것에는 한 치의 의심도 없어. 다만 학교라는 공간에서 꼭 찬사를 받는 학생이 되어야만 하는 것은 아니라고 말하고 싶어.

어제 이웃집 아이 엄마가 고민하더라구.

"우리 애는 너무 질문이 많고 호기심이 많아서 학교 수업에 방해될까 봐 걱정이에요. 선생님이 묻는 말에도 정해진 답을 하는 게 아니라 심하게 창의적인 답을 한다는데…. 답답하네요."

나는 이웃집 엄마에게 걱정할 일도, 답답해야 할 일도 아닌 것 같다고 말했어. 아이는 자기가 가진 모습대로 너무 잘 크고 있는 것 같다고 말이야.

학교의 찬사를 받는 존재로 만들기 위해 아이의 보석을 깎아버리는 실수는 모두가 하지 않았으면 좋겠어.

학교라는 공간의 큰 축을 맡고 있는 교사가 이런 말을 하는 게 우습긴 하지만, 교사라서 더 할 수 있는 말인 것 같기도 해. 1등 한 번 못하더라도 반짝반짝 빛을 내뿜는 아이들을 매일 만나고 사는 사람이니까 말이야.

첫사랑이 잘 지내고 있다는 소식을 들으니 기분이 좋았나 봐. 조잘조잘 얘기가 너무 길어졌네. 다음에 또 편지할게, 엄마!

순종과 해방 사이, 당신의 이야기

between obedience and liberation

your story

학교에서는 빛을 발하지 못했지만 다른 어딘가에서는 멋지게
사용될 수 있는 나만의 보석은 무엇일까요?

24 당신의 소명은 무엇인가요?

『연금술사』 파울로 코엘료

엄마, 굿모닝! 아파서 일주일째 집에서 요양 중이던 하준이가 이제 많이 괜찮아져서 유치원에 갔어. 집에서 쉬는 게 좋았는지 아침에 어찌나 가짜 기침을 하던지 너무 웃겼다니까. 아팠던 하준이가 많이 낫고, 나는 다시 일상으로 돌아와서 아침에 엄마에게 편지를 쓰고 있어.

이상하고 아름다운

새벽 독서 모임

요즘 나는 새벽 독서 모임을 하고 있어. 시작한 지 3주 정도 되었는데 새벽의 이 모임이 요즘 내게 얼마나 큰 활력을 주는지 몰라.

사실 시작하기 전까지 고민을 많이 했거든. 혼자 새벽 독서를 이어 온 지 3년째인데, 그 3년간의 고요를 다른 누군가와 나눈다고 생각하니 망설여지더라구. 혼자 보내는 새벽 시간을 통해 고갈된 에너지를 채우고 하루를 잘 살아갈 생기를 들이마시곤 했으니까 말이야.

해가 뜨면 시작될 역할과 책임에서 사뿐히 빗겨나 내 마음에 귀를 기울이는 시간. 고요한 나의 새벽. 그렇게 하루치 고독을 충분히 누리고 나면 오늘을 잘 살아낼 수 있는 기운이 온몸에 번져나가곤 했어.

그러니 새벽의 고독을 누군가와 나누는 결심을 하기란 쉽지 않았지. 그럼에도 새벽 독서 모임을 찾아 나서게 된 건, 내 안에 하고 싶은 말이 자꾸만 차올라서 찰랑찰랑 넘칠 것 같았기 때문이었어. 이 차오르는 말들을 누군가에게 쏟아내고 싶기도 했고, 아직 너무 작기만 한 내 생각을 다른 사람들과 나누며 크게 크게 만들어가고 싶었어.

머리를 가득 메운 생각들을 글로 표현하기에는 내 글솜씨가 너무 부족한 것 같았고, 횡설수설하는 말이지만 누군가에게 표현하고 나면 막힌 가슴이 뻥 뚫릴 것 같다는 생각이 들었지. 누군가에게는 뜬구름 잡는 소리처럼 들릴 이야기를 진지하게 들어주고 자기의 생각을 나누어 주는 사람들과 연결되고 싶었어.

그리고 행운처럼 내게 딱 맞는 새벽 독서 모임을 발견했지. 새벽 5시가 되면 10명의 사람이 노트북 화면 앞에 앉아서 한 시간 동안 각자 책을 읽어. 각자 자기의 상황에 맞는 책들이지. 그리고 한 시간 후 6시가 되면 읽었던 책을 바탕으로 생각을 나누기 시작해.

나는 이야기 나누는 이 시간이 너무 좋아서 매일 밤 잠들기 전 빨리 새벽이 되길 기다리는 사람이 되어 버렸어. 어떤 날은 한마디도 하지 않고 다른 사람들의 이야기만 듣다가 끝나는 날도 있고, 어떤 날은 횡설수설 정리되지 않은 이야기를 해놓고 멋쩍게 웃는 날도 있는데, 나는 그 모든 시간이 너무 감사하고 벅차더라구. 책을 읽고 삶에 대해, 자기 자신에 대해, 꿈에 대해 긴 시간 이야기 나눌 수 있다는 게 그냥 너무 좋았어.

생의 비밀을 찾아서

그리고 그 시간을 통해 지금껏 생각하지 못했던 새로운 것 하나를 생각하게 됐어. '소명'이라는 것 말이야. 지금까지는 그런 생각을 깊이 해본 적이 없었거든. 그저 내게 부과된 역할과 책임에 최선을 다하면서 내 마음을 편히 다독이며 살아가고 싶었지. 나는 너무 작은 존재고, 현실은 너무 거대한 산 같아서 소명을 갖고 세상에 영향을 끼친다는 생각은 감히 해볼 수가 없었어.

'더 빨리, 더 많이, 더 완벽하게, 더 앞서 나가도록 아이들을 가르치려 하는 것. 이건 틀린 일인데 왜 세상은 그렇게 흘러갈까? 난 여기서 어떻게 행동해야 할까? 내 아이는 어떻게 가르치고, 내가 만나는 학생들은 어떻게 대해야 할까?'
'학교라는 공간은 왜 순응하는 학생들에게만 호의적일까? 이곳이 정말 개인의 꿈을 실현하도록 돕는 곳일까? 나는 여

기서 교사로서 무엇을 어떻게 해야 할까?'

이런 생각을 할 때마다 나는 부딪혀봤자 상대도 안 될 것 같은 거대한 현실 앞에서 황급히 고개를 돌렸어. 내 몸 하나 잘 추스르며 단정히 할 수 있다면 그걸로 감사한 일이라고 여기면서 말이야. 내게 주어진 '소명'이라는 것은 생각할 겨를도 없이 딱 내 몸의 크기만큼만 작게 존재하길 바랐지.

그랬던 나를 환기시켜 준 게 독서 모임에서 나눈 대화들이었어. 내가 지나온 무수히 많은 과정들, 답답함에 짓눌려 있던 고민들, 그 모든 것들이 소명을 실현해가는 과정이라는 생각이 들기 시작한 거야. 자기 안의 좋은 모습을 발현해 가는 것, 그 모습으로 크든 작든 의미 있는 영향을 끼치는 것. 그것이 모든 인간에게 부과된 소명이 아닐까 하는 생각이 들었어.

이 바람에는 미지의 것들과 황금과 모험, 그리고 피라미드를 찾아 떠났던 사람들의 꿈과 땀 냄새가 배어 있었다. 산티아고는 어디로든 갈 수 있는 바람의 자유가 부러웠다. 그러

다 문득 깨달았다. 자신 역시 그렇게 할 수 있으리라는 사실을. 떠나지 못하게 그를 막을 것은 아무것도 없었다. 그 자신 말고는.

『연금술사』 파울로 코엘료

책 속에 '생의 비밀'이 담겨 있다고 말하고 다닐 정도로 내 마음을 흔들어놓은 책 『연금술사』의 한 구절이야.

자아의 신화를 이루어가지 못하도록 가로막는 것은 거대한 현실도, 도무지 바뀔 것 같지 않은 세상도 아닌 '자신'이라는 것을 알게 됐어. 소명을 찾아가는 길, 자아의 신화를 이루어가는 과정이 너무 멀게만 느껴져서 스스로를 작게 만든 채 하루하루를 살아가는 우리들의 삶이 떠올랐어. 상황을 탓하고, 세상을 탓하면서 말이야.

좀 더 들여다보면 세상은 수많은 언어로 우리에게 각자의 신화를 이루며 살아가라고, 소명을 찾아 실현하라고 표지를 세워두는데 아쉽게도 우린 그걸 못 보고 지나치는 것 같아.

하준이가 아기였던 시절, 힘든 순간에 책을 집어 들었던 것, 새벽 시간을 책으로 채웠던 것, 세상이 시키는 대로 순응하며 살던 내가 책을 통해 변화하기 시작한 것, 그 변화를 글로 풀어냈던 것, 글로 풀어낸 곳에서 독서 모임을 찾았던 것, 독서 모임을 통해 소명을 생각해 볼 수 있었던 것. 모든 일이 단편적 사건이 아니라 연결고리를 갖고 하나씩 이어지는 것을 보면서 '이런 게 소명을 찾아가는 과정이구나.'라는 생각을 했어.

절대 무엇과도 바꾸고 싶지 않았던 나만의 고요한 새벽 시간을 '독서 모임'으로 바꾸었더니 더 넓은 세상이 내게 펼쳐져 '소명'을 떠올리게 해준 것처럼, 하루하루 마음을 담아 실천해가는 크고 작은 일들은 우리 모두에게 '자아의 신화'를 찾아가는 과정이 되어줄 거라는 믿음이 생겼어.

그래서 너의 소명이 무엇이냐고 묻는다면 아직은 더듬더듬 찾아가는 중이라고 대답할 거야. 완벽한 나만의 소명을 아직 찾진 못했지만, 내가 단정히 보내는 하루하루들이 소명을 찾아가는 길을 밝혀준다고 생각하니 작은 일에도 진심을 다하게 돼. 이불을 개고, 엘리베이터에서 만난 이웃에게 인사를 건네는 사소한 일에도 말이야.

　오늘 편지의 마지막은 『연금술사』의 벅찬 구절로 마무리할게. 오늘도 좋은 하루 보내, 엄마!

　이 세상에는 위대한 진실이 하나 있어. 무언가를 온 마음을 다해 원한다면, 반드시 그렇게 된다는 거야. 무언가를 바라는 마음은 곧 우주의 마음으로부터 비롯된 때문이지. 그리고 그것을 실현하는 게 이 땅에서 자네가 맡은 임무라네. (...) 만물의 정기는 사람들의 행복을 먹고 자라지. 때로는 불행과 부러움과 질투를 통해서 자라나기도 하고. 어쨌든 자아의 신화를 이루어내는 것이야말로 이 세상 모든 사람들에게 부과된 유일한 의무지. 세상 만물은 모두 한가지라네. 자네가 무언가를 간절히 원할 때 온 우주는 자네의 소망이 실현되도록 도와준다네.

　　　　　　　　　　　　『연금술사』 파울로 코엘료

순종과 해방 사이, 당신의 이야기

between obedience and liberation

your story

+ 나는 어떤 삶을 살고 싶나요?

원하는 삶을 위해 어떤 하루를 보내고 있나요?

+ 소명이 있는 삶은 어떤 모습일까요?

다희, 사랑하는 내 딸

다희, 사랑하는 내 딸

항상 우리 곁에 작은 아이로만 있을 줄 알았는데
너도 어느새 어른이 되어
네 곁엔 노란 병아리 같은
사랑스러운 하준이가 웃고 있구나.

내 딸은
엄마가 원하든, 원치 않든
아주 어릴 때부터 정해진 레이스를
묵묵히, 어김없이 달리던 속 깊은 딸이었어.

방목이란 표현이 어울릴 정도로
자유롭게 던져진 상태에서도
넌 스스로가 만들어낸 너만의 견고한 울타리에서
절대 벗어나지 않는 작고 고집 있는 아이였어.

그래서 엄마에게는 더 사랑스럽고 자랑스러운 딸이었지.

그러나

지금

규격화된 견고함을 부수기 위해

미지의 세계로 도전하는 내 딸, 너를 응원한다.

창조적이며 당당한 세계로

한발 한발 나아가는 우리 딸.

넘어지는 것을 두려워하지 말아라.

두려울 때는

엄마가 너를 보고 힘을 얻었듯이

너도

우리 병아리 하준이에게 주어질 또 다른 세상을

바라볼 수 있기를 기도하면서…

다희, 사랑하는 내 딸

말로 표현할 수 없구나.

사랑해.

순종과 해방 사이

초판 1쇄 발행	2023년 5월 19일
초판 3쇄 인쇄	2024년 7월 17일

지은이	이다회

펴낸이	이장우
책임편집	송세아
편집	안소라
디자인	theambitious factory
표지 사진	이로
제작	김소은
관리	김한다 한주연
인쇄	KUMBI PNP

펴낸곳	도서출판 꿈공장플러스
출판등록	제 406-2017-000160호
주소	서울시 성북구 보국문로 16가길 43-20 꿈공장 1층

이메일	ceo@dreambooks.kr
홈페이지	www.dreambooks.kr
인스타그램	@dreambooks.ceo

전화번호	02-6012-2734
팩스	031-624-4527

ISBN	979-11-92134-41-3
정가	15,800원